"나에게 있어 너는 어떤 존재였을까?"

꽃집아가씨

발　행 | 2023년 12월 29일
저　자 | 안재열
펴낸이 | 한건희
펴낸곳 | 주식회사 부크크
출판사등록 | 2014.07.15.(제2014-16호)
주　소 | 서울특별시 금천구 가산디지털1로 119 SK트윈타워 A동 305호
전　화 | 1670-8316
이메일 | info@bookk.co.kr
블로그 | jaevis10

ISBN | 979-11-410-6311-5

www.bookk.co.kr

꽃집아가씨

안재열 지음

목차

프롤로그

비가 내린다.
또 비가 내린다.

같은 장소, 같은 배경에 같이 서 있는 둘. 둘 사이에 고인 빗물을
바라볼 때면 언제나 둘은 말없이 서 있을 뿐이다.

빗소리에 갇힌 채 얼마나 시간이 지났을까? 마침내 네 입 모양
에서 변화가 시작된다. 정확히 네 입 모양에서 변화는 끝난다. 시작
할 때, 그리고 끝날 때 했던 그 한마디로.

"안녕."

꿈이다.
또다시 꿈이다.

같은 장소, 같은 배경에 홀로 일어났다. 제아무리 너를 찾아봐도 나는 언제나 홀로 말없이 서 있을 뿐이다.

빗소리에 갇힌 채 얼마나 시간이 지났을까? 마침내 너와의 꿈에서 현실로 변화가 시작된다. 정확히 너와의 시간이 다시 끝난다.

비가 내린다.
또 비가 내린다.

그러나 너는 없다.

제1화 무채색의 도화지에 벚꽃 잎이 물든 순간

"짹짹!"

고요함을 깨는 새 소리, 검은색 도화지 또한 다채롭게, 흐릿한 색깔에서 선명한 색깔로 변한다. 아침이다. 피로로 다시 검게 칠하며 아침을 부정하나 이상하게 몸이 개운하다. 처음에는 괜한 불안감이라 생각하며 눈을 더 감았으나 도화지를 검게 칠할수록 불안감만 커진다. 결국 몽롱한 정신을 가다듬고 핸드폰 시간을 확인하는데, 빌어먹을 예감은 항상 틀린 적이 없다.

"9시!?"

강의 시작까지 1시간밖에 안 남았다. 순간 늦잠에 대한 분노에 사로잡혔지만, 최악 대신 차악을 선택하고자 용수철처럼 침대에 튕기다시피 나왔다. 대충 옷가지를 걸친 채 집 밖을 나와 정류장에 달려갔는데, 엎친 데 덮친 격이라고 버스는 정류장에 도착하자마자 출발했다.

하는 수 없이 학교까지 돌아가는 버스를 타며 겨우 10시 정각에 맞춰 학교에 도착했다. 지각을 면한 안도의 한숨과 함께 강의실로 들어갔으나 강의실은 조용했다. 정확히 그 누구조차도 강의실 안에 존재하지 않았는데, 문득 오늘 교수님의 세미나로 휴강한 걸 공지한 게 생각났다. 젠장, 항상 시끌벅적한 복도가 조용할 때부터 이상했다.

하루의 불행은 이로써 끝난 줄 알았으나 세상은 한시라도 내가 편하게 있는 꼴을 못 보는 것 같다. 나의 불행이 만족스럽지 않아 점심시간에는 핸드폰을 꺼뜨리게 하여 지갑이 없는 내게 점심을 사 먹지 못하도록 했고, 돌부리에 걸려 넘어지게 하여 사람들 앞에서 얼마 전에 맞춘 안경과 이별하도록 했다.

그동안 여러 재수 없는 날이 존재했지만, 오늘만큼 재수 없는 날은 거의 없었다. 빈속에 담배를 태우는 게 뻑뻑하나 답답한 마음에 담배나 피우려고 흡연장에 갔는데, 세상이 오늘의 불행이 끝난 걸 알려주고자 동기들을 만나게 했다.

"야! 왜 핸드폰 꺼놓았냐?"

"맞아! 죽은 줄 알고 경찰서에서 조사받을까 봐 걱정했잖아!"

"죽을 거면 미리 얘기하고, 유서에 우리 이름 적지 말고."

"나쁜 놈들… 밥이나 먹자!"

다사다난한 오전이었지만, 다행히 오후에는 아무 일조차 없이 무사히 하교했다. 늦잠, 핸드폰 방전 등 삼류 소설도 이렇게 쓰면 욕

먹을 게 분명하나 때로는 현실이 더했고, 결국 집에 돌아오자마자 해당 소설의 주인공이었던 나는 곧바로 침대에 들어가 잠들었다. 꽤 이른 저녁이나 노곤함에 금방 잠들었는데, 다채로운 세상이 검은색으로 물든 무렵에 저절로 눈이 떠지며 더 잠을 잘 수 없었다.

멍하니 허공만 응시하며 무료함이 찾아왔지만, 침대의 편안함에 붙잡혀 움직이지 못했다. 그러나 시간이 지날수록 편안함이 무료함을 이겨내지 못했고, 간단하게라도 누구와 한잔을 걸치고 싶어서 당장 만날 수 있을 법한 친구들에게 연락을 돌렸다.

"여보세요?"

"바빠?"

"과제 중… 내일까지 제출이다."

"아… 알았다."

2019년 3월 21일, 중간고사조차 준비하는데 이른 날짜지만 역시 고학년은 바쁘다. 벌써 과제를 준비하는 중이라 죽어가는 목소리를 내는데, 차마 유혹할 수 없어 전화를 끊었다.

"뭐하냐?"

"야근 중… 죽을 거 같다."

"… 힘내라."

오후 8시, 대학생 대신 직장인 친구에게 전화했다. 하지만 올해 첫 분기의 마지막이 얼마 남지 않아 매우 바빴는데, 앞서 전화했던 고학년의 목소리가 더 생기발랄할 정도였다.

여러 친구에게 연락을 더 돌렸으나 비슷한 이유로 누구와도 약속은 성사되지 않았다. 이제 스물네 살인데 다들 왜 이렇게 바쁜지….

이쯤이면 고집이 꺾일 법도 하나 이대로 무료함을 받아들이기 싫었다. 혼자라도 감정을 이겨내고자 결국 집 밖으로 뛰쳐나가 거리를 서성거리기 시작했다.

처음에는 감정이 사라질 거라고 믿으며 한참을 걸었다. 그러나 걷다 보니 부질없게 느껴지며 다시 집으로 발걸음을 돌렸다. 터벅터벅 발을 질질 끈 채로 집에 향했으나, 오늘따라 이대로 하루를 마무리하고 싶지 않았다. 무엇이라도 하자는 마음에 인근 편의점에 들러 맥주를 산 뒤, 야외 테이블에서 혼자서 맥주를 벌컥벌컥 들이켜기 시작했다.

알코올의 효과일까? 취기가 감정을 무료함에서 다채로운 즐거움으로 바꾸기 시작했다. 괜스레 흥까지 달아올랐지만, 한창 즐기는 와중에 맥주가 떨어졌다. 다시 편의점에 들어가려고 했으나, 문득 내일 9시에 약속이 있는 게 떠올랐다. 오늘의 불행이 내일까지도 이어지는 건 싫으므로 하는 수 없이 발걸음을 마저 집으로 돌렸다.

"아! 뭐야!"

아쉬움에 애꿎은 땅만 쳐다본 채 걷는데, 알코올로 덧칠돼 어둑해진 세상에 따사로운 연분홍 섬광이 덮쳤다. 깜짝 놀라 서둘러 눈을 비벼 정체를 확인하는데, 벚꽃 잎이었다. 고개를 들어 나무 위를 바라보니 벚꽃이 찬란한 자태를 뽐내고 있었고, 그제야 계절이 봄으로 변한 걸 실감했다. 하지만 봄의 생동감 넘치는 모습을 볼수록 마음의 울적함은 커져만 갔다. 너의 세상과 같던 분홍빛이라, 아니면 너의 이름처럼 **눈의 꽃**(雪花)이 아직 내 마음속에 녹지 않아서 더 그랬다.

벚꽃이 휘날릴수록 눈의 꽃이 또렷이 비쳤다. 계절은 봄이나 내 시간은 마치 겨울로 역행하는 기분이었다. 생기 넘치는 계절과 다르게 서 있을수록 생기를 잃는 기분, 결국 완전히 생기를 잃기 전 황급히 집으로 발걸음을 옮겼다.

거리로 나올 때보다 더 빠르게 한 걸음, 한 걸음 옮기는데, 발걸음을 옮길수록 마음은 더 울적해져만 갔고, 집에 들어와 잠든 순간까지 피어난 눈의 꽃은 지지 않은 채 존재감을 드리워냈다. 그렇게 오늘도 너는 내 눈 대신에 내 마음속에서 피어났다.

*

너를 처음 만난 건 지금의 기억보다 더 먼 오래된 때이다. 정확하게 언제라고 이야기할 수 없지만, 너의 첫 모습은 10년이 훨씬 더 지난 지금까지도 선명하다.

"야! 김민재!"

너의 이름 아니, 정확히 너의 존재조차 모르던 내가 이름을 들었을 때, 그 이전의 어느 순간보다도 더 당황스러웠다. 그동안 눈에 보인 적조차 없는 단발머리에 나와 같은 키를 가진 여자애가 나의 이름을 부른 거였다. 생각지도 못한 상황에 나는 대답은커녕 말라 버린 고목처럼 굳어버렸다.

"야! 무시하냐?"

굳어 버린 나를 보며 너는 화를 내더니 머지않아 한숨을 내쉬며 나를 어디론가 끌고 가기 시작했다. 한참을 끌려간 뒤에야 정신이

들었으나 나는 계속 맥없이 끌려가고 있었고 창고 앞에서야 멈추게
됐다.

'설마 때리는 건가…?'

잠겨있는 창고처럼 다가올 미래를 모르는 나는 최악을 상상하며
오만가지 생각이 들었다. 그러나 너는 창고의 문을 열더니 곧이어
칠판 닦이를 내게 던지다시피 건넸다.

"이번 주에 주번 너랑 나니까 앞으로 수업 끝나면 칠판 닦아!"

너는 한 문장만을 딱 건넨 뒤 성큼성큼 내 시야에서 사라졌다.
하지만 나는 한참을 창고 앞에 서 있었다. 스스로에 대한 분노 때
문이었을까? 아니면 무례하게 느껴지는 네 태도에 대한 분노 때문
이었을까? 어느 순간부터 당황스러운 감정은 분노로 바뀌었고 그
순간부터 너의 이름, 너의 얼굴 등 너의 존재가 나의 세상에 들어
오기 시작했다.

나의 세상에 너란 존재가 들어오기 시작한 순간부터 너의 모든
행동을 하나하나 살폈으나, 나와 정반대였다. 너의 세상은 벚꽃같이
화사한 분홍빛인 반면, 나의 세상은 색상조차 없는 무채색이었다.
너의 세상은 네가 영향력 있게 주도하는 반면, 나의 세상은 누군가
에게 영향받는 구조였다. 너란 존재는 나와 상극인 만큼 처음에는
피해 다녔다. 그렇지만 너는 온갖 이유로 언제나 나에게 먼저 다가
왔다.

"야! 김민재! 같이 가!"

"어? 어…"

"왜? 싫어?"

"아, 아니! 그것보다… 너도 여기로 가?"

"뭐? 너랑 나랑 작년부터 같은 반이었는데 몰랐어? 하… 됐다. 이제 알았지? 앞으로 집 갈 때나 학교 갈 때 같이 가는 거다? 아! 핸드폰 줘 봐. 내 번호 알려줄게!"

"왜!?"

"왜긴 왜야? 너 도망치지 못하게 잡는 거지!"

한 걸음, 때로는 몇 걸음씩 성큼성큼 다가오는 너. 그런 너에게 항상 겉으로는 싫은 척했지만, 어느 순간부터 네가 다가오길 내심 기대하고 있었다. 그렇게 네가 다가올수록 내 세상은 너의 분홍색으로 채색되기 시작했다.

너의 분홍색 물감이 나의 도화지에 칠해질수록 가슴은 그 속력보다도 더 빠르게 두근거렸다. 때론 설렘을 주체할 수 없었고, 때론 너를 만나는 아침이 오길 간절히 바라 긴 새벽을 밤새 지새웠다. 그러나 행복은 잠깐에 불과하다. 시간은 속절없이 흘러 결국에는 학교를 졸업하게 했고, 얄미운 운명은 너와 나를 떨어뜨렸다.

운명은 새로운 환경 속에 새롭게 적응하라고 얘기했지만, 나의 도화지는 너의 분홍색으로 더 짙게 채색될 뿐이었다. 하지만 너의 분홍색으로 채색돼도 도화지는 점점 무채색으로 변해가며 결국에 나는 친구조차 될 수 없을지라도 용기를 내서 나의 마음을 전달할 걸 다짐했다.

2009년 3월 14일, 따사로운 봄날 토요일 오후에 마침내 너의 꽃집 앞을 찾아갔다. 매일 집으로 돌아갈 때 함께 발걸음을 옮겼던 너의 꽃집이었지만, 혼자였던 나는 쉽게 앞으로 나아가지 못했다.

너를 처음 만난 때처럼 새하얗게 얼어버려 한참을 미동조차 없이 서 있었다. 생각과 현실은 달라, 혹시 하는 마음에 다짐이 무색하게 나는 다음 획을 긋지 못했다.

"김민재?"

주저하다 못해 그냥 돌아갈지 고민까지 할 찰나였다. 소리 없는 아우성만 반복되는데, 다른 익숙한 목소리가 들려 왔다. 사무치게 듣고 싶었으나 한편 끝의 시작이 될 수도 있는 익숙한 목소리가 뒤에서 들려 왔다.

"김설화!?"

애써 태연한 척, 의젓한 척 네게 멋진 모습을 보이기 위해 주체할 수 없이 빠르게 뛴 심장을 애써 진정시킨 채 네 이름을 불렀다. 그러나 파도처럼 동요하는 감정까지는 주체할 수는 없어 음 이탈을 낸 채 감정 그대로 네 이름을 불렀다.

"무슨 일이야?"

"아… 그, 그게…"

수백, 아니 수천 번 넘도록 머릿속에서 생각했다. 하지만 실제로 너를 봤던 순간, 나는 다시 얼어버렸다. 아니, 그때보다도 더 얼어붙으며 누군가가 툭 치면 깨질 정도였다. 꽤 오랜 시간을 나 홀로 겨울처럼 얼어붙었는데, 너는 예상이라도 한 듯 헛웃음을 짓더니 이내 먼저 입을 열었다. 이번에도 네 입 모양에서 변화가 시작된 거였다.

"오늘 화이트데이라서 온 거야? 사탕이랑 함께 꽃 선물하게?"

"아, 어! 엄마 주려고!"

"아… 그래, 들어가자."

네 표정과 다르게 목소리에서 실망이 묻어나는 건 기분 탓일까? 익숙한 표정에 전혀 듣지 못한 낯선 목소리였다. 그러나 너는 생각할 틈조차도 주지 않은 채 먼저 발걸음을 안으로 옮겼다. 그제야 나도 주저 없이 발걸음을 옮겼는데, 발자국을 들이자마자 그동안 볼 수 없던 세계가 펼쳐졌다.

숨 쉴 틈조차 없이 공간을 메운 도시와 달리 자유롭게 자신만의 자태를 뽐낸 세계가 눈앞에 펼쳐졌다. 익숙하지만 때로 매캐하여 눈썹을 찌푸리게 하는 도시와 달리 기분 좋은 풀 내음으로 마음을 편안하게 만드는 세계, 전혀 경험하지 못한 이국(異國)이 눈앞에서 펼쳐졌다. 경험하지 못한 세계로 꽤 낯설 법도 하나 낯설기는커녕 오히려 있을수록 계속 머물고만 싶어졌다. 그동안 멈추기를 바랐던 시간처럼 너의 세계에 계속 멈춰 있고 싶어졌다.

한참 우두커니 선 채 경험할 수 없었던 세계를 맛보고 있는 찰나였다. 먼저 자유로이 이국으로 들어온 뒤 사라졌던 너는 한 아름의 꽃송이를 들고 온 채로 다시 나타났는데, 보자마자 넋을 놓게 됐다. 내게 '열렬한 사랑'과도 같은 네가 붉은 장미 한 아름을 가져온 거였다.

"장미 어때? 선물하는 데는 제일 무난하고 많이들 찾는데?"

"어…"

"왜? 별로야…?"

나의 신통치 않은 반응에 너는 꽤 실망 가득한 표정을 지었다. 그러나 쉽게 반응할 수 없었는데, 네가 나에게 붉은 장미를 선물한 기분이 들며 뻔히 아닌 걸 아나 괜한 기분에 넋을 놓게 된 거였다. 하지만 꽃 너머로 실망이 역력히 드러나는 네 표정이 보이기 시작하며, 이내 당황한 나는 횡설수설을 시작했다.

"아니, 괜찮아! 그대로 주면 될 거 같아! 정말 예쁜데?"

"마음에 안 들면 다른 거 가져올게. 네가 네 돈 주고 사는 건데 마음에 안 들면 안 되잖아."

"아니야! 정말 괜찮아! 그냥… 이런 건 부모님이 아닌 연인끼리 주고받는 게 아닌가 해서. 사랑하는 사람끼리 주고받는 꽃이잖아, 장미가…."

애써 말을 둘러대는 게 결국 본심이 나와버렸다. 끝내 네가 내게 장미를 선물한 기분을 감추지 못한 건데, 본심이 나오자마자 붉은 장미보다 더 붉게 얼굴이 달아오른 기분이었다. 부끄럽다 못해 순간 사라지고 싶었지만, 너는 내 말을 듣자마자 끅끅 웃더니 끝내 빵 터져서 한참을 웃었다. 예상치 못한 반응에 멋쩍어 나도 따라 웃었는데, 한참을 웃고 난 뒤 진정이 된 너는 대화를 이어 나갔다.

"그럼, 너는 부모님 안 사랑해?"

"아니! 그게 아니라…!"

"장미에 종류가 얼마나 많고, 뜻이 얼마나 다양한데?"

"아니, 당연히 부모님은 사랑하지! 그게 아니라…!"

꽃집에 들어오기 전까지만 해도 멋진 모습으로 네게 고백할 걸 계획했다. 그러나 막상 들어온 뒤 나는 예전처럼 너에게 이끌리고 있었다. 변치 않은 모습에 괜히 화까지 났으나, 네가 나를 놀릴수록 그동안 내가 알던 분홍빛으로 네 표정이 물들기 시작했다. 이에 네 표정을 보며 곧 화가 누그러진 건 물론, 오랜만에 내 도화지 또한 너처럼 분홍빛으로 물들기 시작했다.

언제 어색했고 오랜만에 만났냐 얘기하듯이 어느 순간에 너와의 대화는 물 흐르듯 멈추질 않았다. 쓸데없는 이야기였지만 웃음도 멈추지 않으며 꽃집이 내 집처럼 편하게 느껴지기 시작했다. 자연스레 시야 또한 탁 트이자 곧 네 손에 쥔 장미가 보였는데, 문득 앞서 얘기한 장미에 대하여 궁금해졌다.

"궁금한 게 있는데, 장미가 빨간색만이 있는 게 아니잖아? 다른 색깔은 어떤 의미가 있어?"

"음…"

너는 잠시 머뭇거릴 때마다 눈을 오른쪽 아래로 돌리는 습관이 있다. 이번에도 너는 오른쪽 아래로 눈을 돌려 골똘히 생각한 끝에 설명을 시작했다. 역시 꽃집 아가씨답게 꽃에 대해 많이 알았는데, 솔직히 얘기가 거의 안 들어왔다. 아니, 들어올 수 없었다.

생각하며 설명하느라 아래로 왔다 갔다 움직이는 네 눈동자부터 알다 못해 매우 관심 있는 걸 설명하느라 미소를 머금다 못해 활짝 피며 생긴 네 팔자 주름, 살짝 갈라진 거 같지만 맑게 울려 퍼지는 네 목소리까지 네 모든 것에 집중하느라 설명이 들어올 틈이 전혀 없었다.

"보라 장미가 '불완전한 사랑'이란 의미도 있지만, 반면 '영원한 사랑'이란 의미도 있어. 신기하지? … 듣고 있어?"

"어? 어! 신기하네! 같은 꽃인데 어떻게 다른 의미가 있는 거지? 받는 사람은 주는 사람이랑 다르게 생각할 수도 있는 거잖아?"

"흠… 그것보다 공짜로 설명을 들으려고 한 건 아니겠지?"

"어?"

너는 한참 설명을 이어가는 도중, 내가 하도 말이 없자 반대로 나에게 질문했다. 다행히 첫 질문은 무사히 넘겼으나 문제는 다음 질문으로, 전혀 생각지도 못한 질문에 어떻게 대답할지 고민했다. 이에 골똘히 고민하는데 순간, 너의 승리를 만끽한 표정이 보였다.

나는 그 모습이 꽤 얄미웠는데, 애서 웃음을 참았으나 양쪽 입꼬리가 위로 향하다 못해 솟구칠 거만 같았다. 괜스레 심술까지 나며 알량한 자존심에 너에게 본때를 보여주고 싶었다. 때마침 눈앞에 노란 장미가 보였고 기지를 발휘해 너에게 건넸는데, 어쩌면 처음으로 네가 당황스러운 표정을 짓는 걸 볼 수 있었다.

"자, 선물! 이 정도면 충분하지?"

"… 무슨 의미인지 알고 건네는 거지?"

"당연하지! 너와 나의 '우정'을 상징하는…"

"하! 하… 그래, 그래…."

내 대답이 끝나기도 전에 너는 실소를 내뱉었다. 얄미움에 나름대로 기지를 발휘한 거였으나 무언가를 잘못한 기분이었다. 끝내 너는 기대를 저버린 듯한 표정을 지은 채로 자리를 먼저 털고 일어났다. 무슨 말을 할지 몰라 뒤이어 나도 마음이 없는 말을 끝으로 집에 향했다.

"이게 뭐야?"

"엄마 선물이요!"

"아이고, 아들! 이런 것도 선물할 줄 알아?"

집에 도착하자마자 어머니께 꽃다발을 건넸다. 계획에 없는 화이트데이 선물이었으나 다행히도 결과는 좋았다. 그렇지만 어머니의 관심은 머지않아 붉은 장미 한 아름에 있는 한 송이의 주황 장미로 갔다.

"가운데에 있는 주황 장미는 뭐야?"

"아, 친구한테 선물로 받았어요!"

"응?"

내 대답을 듣고 잠시 말을 멈추더니 이내 내게 선물 받을 때보다 더 환한 미소를 지었다. 뿌듯한 눈빛으로 나를 쳐다보는데, 영문을 모르던 나는 그 표정만 바라본 채 우두커니 서 있었다. 그러나 그 표정에 이유를 듣는 순간, 꽃집에서 도대체 내가 무슨 일을 벌인 건지, 마음에도 없는 말을 한 대가가 무엇인지를 뼈저리게 느끼게 됐었다.

"첫사랑이야?"

"네!? 아니에요! 그냥 친구일 뿐이에요, 친구!"

"아니, 걔한테 네가 첫사랑이냐고? 주황 장미의 꽃말이 '첫사랑' 이잖아? 그래서 묻는 건데…"

어머니의 말이 채 끝나기도 전, 황급히 방으로 들어가 컴퓨터로 꽃말을 확인했다. 정말 주황 장미의 꽃말이 첫사랑이었는데, 심지어 네게 건넸던 노란 장미는 보라 장미처럼 두 가지 의미가 있었다. 하나는 앞서 네게 말했던 '우정'이란 의미가 있었고, 다른 하나는 그동안 간절하다 못해 너와 절실히 바란 '영원한 사랑'이란 의미가 있었다.

사실을 확인하자마자 피가 거꾸로 솟구치는 기분이었다. 사랑과 우정, 그중 끝을 볼지언정 사랑을 선택하며 너에게 간 건데, 기껏 내가 선택한 결과가 우정이었다. 내가 저지른 일이 단순한 걸 넘어 정말 멍청했는데, 스스로에 대한 분노로 결국 화가 나다 못해 숨이 제대로 안 쉬어졌다.

'무슨 일을 벌인 거지… 대체, 무슨 일을 벌인 거지…?'

숨을 고르며 새벽을 지새운 끝에 간신히 잠들었지만, 잠에 깨면 멍청한 내 선택만이 생각났다. 차라리 너의 꽃집에 안 가고 혼자서 끙끙 앓던 거보다 더 못한 선택, 그 선택으로 시간은 약이란 말과 다르게 내게는 독이 됐다.

이대로 끝나면 정말 죽을지도 모르는 상황, 오해를 풀고자 다가오는 토요일에 다시 너의 꽃집을 찾아갔다. 그러나 너의 꽃집은 온데간데없었다. 정확하게 장소는 그대로였으나 '빨간 딱지(압류물 표목)'라는 결계가 너의 세계에 입구를 가로막았는데, 너에게 전화해도 번호는 이미 바뀐 상태였다. 그렇게 바람결에 벚꽃 잎이 휘날리기 시작하던 봄날, 나는 첫사랑과 첫 번째 이별을 맞이했다.

제2화 새 달력을 꺼낸 지 일곱 번째 된 눈꽃 피던 날

2019년 3월 28일, 어느새 복학한 지 한 달째 됐다. 봄이 온 대학교에는 생동감이 넘쳤다. 전역하자마자 자취방에 들어온 2월 28일까지만 해도 대학교 거리에는 소리 없는 아우성만이 자리하고 있었다. 그러나 불과 이틀이 지났을 뿐인데 거리는 언제 침묵했냐 얘기하며 불협화음을 키우기 시작했다.

자신이 살아있음을 알리는 고함부터 객기 부린 걸 인정하는 구토 소리, 불과 한두 살 많은데 "나 때는 말이야."라고 얘기하는 꼰대소리 등 거리의 합창은 시간이 지날수록 나의 속을 매스껍게 만들었다. 음식물 쓰레기에 생긴 구더기를 보는 거보다 더 역겨웠지만, 이런 내 속을 결정적으로 뒤엎은 건 "영원하자!"라는 그럴듯하나 지키지 못할 약속이었다.

'말 한마디에 천 냥 빚을 갚는다'라고, 말의 무게는 감히 헤아릴 수 없다. 하지만 "언제 밥 한번 먹자!"라는 말보다 더 무거운 약속을 해놓고 보통 사람들은 하룻밤 술자리의 유흥 정도로 약속을 끝낸다. 알코올이 없을 때 남보다 못한 사이, 그 사이가 싫어서 나는 개강총회, MT 등 신입생뿐만 아니라 외로운 복학생에게도 기회인 장소에 일절 나가지 않았다. 나를 잃어가며 얻는 관계보다 홀로 고독한 게 훨씬 나으므로, 두 번 다시 사람에 대한 기대로 상처받고 싶지 않으므로 더 사람 관계를 만들지 않았다.

오늘도 마찬가지이다. MT 가는 날로, 다른 동기들은 복학 후에 행복한 캠퍼스 라이프를 꿈꾸며 부푼 기대에 신청이 시작되자마자 바로 지원했다. 하지만 알코올로 점철된 관계는 알코올이 없을 때 다시 지워지는 거를 아는 나로서는 신청할 이유가 없었고, 덕분에 전공 강의가 MT로 휴강하게 되며 오전이 비는 목요일을 오랜만에 보냈다.

물론 전공 강의가 없을 뿐 강의 자체가 사라진 건 아니라 오후에 교양을 듣기 위해 학교에 가야 했는데, 오후 첫 번째 교양인 '서양사의 이해'가 교수님의 개인 사정으로써 무려 두 시간이나 일찍 끝났다. 두 번째 교양인 '일본의 정치 경제'까지 공강이 두 시간이나 생긴 상황, 하필 곧 시험 기간이라 도서관엔 자리가 없었다. 자취방까지 왔다 갔다 하는 것은 시간 낭비라서 하는 수 없이 오랜만에 동아리 방을 방문했다.

한때 상주할 정도로 동아리 방은 두 번째 자취방이었다. 그러나 복학하고 난 뒤 기존에 구성원들은 거의 없었고 대부분이 새로운 얼굴이었다. 예전처럼 동아리 방에 상주하면 신입생에게는 불편할 수 있는 상황, 신입생을 배려하고자 중요 활동 외에는 일절 동아리 방에 가지 않았다.

꽤 오랜 시간을 나가지 않았지만, 이때만큼은 오고 갈 데가 없어 가지 않을 수 없었다. 가는 동안 애써 태연한 척을 했지만, 동아리 방 앞에 도착한 뒤 좀처럼 쿵쾅거리는 심장을 주체할 수 없었다. 하지만 복도를 지나가는 사람들이 계속 나를 쳐다봤고, 더는 마냥 넋 놓고 서 있을 수가 없어 결국 용기를 내서 들어갔다.

"어?"

"민재 오빠!"

동아리 방에 들어가자마자 우연 혹은 필연처럼 낯익은 얼굴을 가진 사람이 한 명 있었다. 긴 생머리가 단발로, 화장기 없는 눈매가 옅은 아이라인으로 변했으나 확실히 알 수 있었다. 1학년 때부터 친했고 종종 연락했던 과 동기 '유명진'이었다.

"오랜만이다? 아니, 그보다도 휴학하지 않았어?"

"진작 복학했죠! 오빠는 MT 안 갔어요?"

"야! 복학생이 애들 불편하게 왜 가나? 그런 데는 신입생 또는 저학년만 가는 거야!"

"본인이 방금 화석인 걸 인정한 거네요?"

"사돈 남 말 하네?"

꽤 오랜만에 만났으나 보자마자 옥신각신한 사이, 과거의 자취를 공유한 사이인 만큼 오랜만에 만나도 서로 편하게 대할 수 있었다. 예상과 다르게 동아리 방에서 약 두 시간은 2019년이 아니라 2016

년에 머물렀지만, 유명진의 한마디에 시간은 다시 3년 뒤인 현재로 돌아왔다.

"설화 언니는 잘 지내죠? 어제 인스타그램 확인하니까 저번 주 주말에 일본 오사카성에 벚꽃 보러 갔던데?"

"…"

"오빠?"

"헤어졌어."

"네?"

과거에서 이어지던 대화는 현재에서 끊어졌다. 언젠가 밝힐 문제였고 속으로 수백 번 수천 번 얘기할 연습을 했지만, 정작 상황이 닥치자 입 밖으로 쉽게 나오지 못했다.

"그렇게 됐네? 사정이야 여하튼 강의 가야니까 먼저 갈게!"

"오빠, 다음 강의…"

"나중에 시간 되면 보자!"

'나중에 시간 되면 보자.', 기약 없는 약속이나 지키지 못할 약속은 아니었다. 무던 척 애써 웃음을 지어 보이며 유명진의 얼굴을 외면한 채 약속을 끝으로 강의를 들으러 갔는데, 얄궂은 운명은 내게 또 장난을 쳤다. 일본의 정치 경제 강의답게, 벚꽃이 핀 계절답게 교수님이 벚꽃 명소에 대해 강의 분위기를 환기할 겸 소개했다.

도쿄에 '신주쿠 교엔'과 '우에노 공원'에 대한 소개를 시작으로, 교수님께서는 머지않아 유명진이 말한 오사카성을 소개했다. 소개와 함께 첨부된 사진 속에 해맑은 미소를 짓는 사람들이 보였는데, 다들 현실에 걱정이 없는 거처럼 해맑은 미소를 지었다. 여섯 살짜리 어린애에게만 볼 줄 알았던 미소를 지은 건데, 그 미소를 보자마자 가슴이 먹먹해지며 목이 멨고, 나중에 눈시울까지 뜨거워져 강의실을 뛰쳐나간 뒤 한참 화장실에 틀어박혔다.

어느 정도 진정이 된 뒤 강의실에 다시 들어가려 했지만, 한창 강의가 진행 중이었다. 맨 앞자리에 앉은 만큼 또다시 들어가는데 눈치가 보인 상황, 중간에 쉬는 시간까지 들어가지 못한 채 결국 강의실 밖에서 우두커니 서 있었다. 하지만 감정에 치우친 대가는 이후 강의가 끝날 때까지도 영향을 미쳤다. 하필 강의실을 나가자마자 교수님께서 진도를 다 나가신 건데, 남은 시간은 교수님의 삶에 대한 미사여구만 존재했을 뿐이었다.

저녁 6시가 조금 안 된 시간, 마침내 교수님의 휘황찬란한 회고록이 끝났다. 금요일은 공강인 만큼 한 주의 일정까지 끝난 건데, 나는 '만약'이라는 단어에 잠식되며 여전히 한 주를 끝내지 못했다. 환호성 대신 계속 한숨만 나오는데, 꾸역꾸역 가방에 짐을 넣을 때 또한 한숨은 멈추질 않았다.

삶이 무미건조하다 못해서 메말라 비틀어진 기분까지 들었다. 무엇이 원인일까 생각할 때 역시 답은 나였지만 고칠 생각, 아니 고칠 수 없었다. 겨울은 이미 지나갔으나 마음속에 눈의 꽃이 여전히 남아 있었다. 녹지 못하는 가여운 꽃을 뒤로한 채로 다음 계절에 나 홀로 나갈 수는 없었다.

한 달, 두 달, 그 이상으로 달력을 몇 번씩 넘기고 구기며 눈의 꽃을 애써 지우려고 했다. 그러나 구길수록 마음은 접히지 않은 채 두꺼워지며 오히려 눈의 꽃이 선명해졌다. '다시' 누군가를 사랑할 수 없다는 생각, 또 다른 사람과 또 다른 하루가 시작되는 걸 원치 않다는 생각만 들었다. 일몰이 강의실 창밖 너머로 보이는데, 왈칵 또 눈물이 날 거만 같았다.

"집에 안 가요?"

"… 네가 왜 여기 있어?"

"여기서 강의가 끝났으니까 그렇죠?"

눈물은 그보다도 더 맑은 청아한 목소리에 깜짝 놀라며 쏙 들어갔다. 목소리까지 낯익으며 더 깜짝 놀랐는데, 목소리가 들리는 쪽으로 고개를 돌려보니까 유명진이었다. 알고 보니 그동안에 같은 강의를 들었으나 전자 출결 때문에 같은 강의를 듣는 줄 몰랐다. 심지어 오후에 첫 번째 교양은 비록 똑같은 강의는 아니지만 같은 단과대, 같은 층에서 들었다.

"지금 시간 되면 밥이나 먹죠?"

"지금?"

"네, 지금이요. 다음에 언제 시간 될 줄 모르니까요."

불과 몇 시간 전에 한 약속, 기분은 썩 내키지 않았지만 한 번 뱉은 말을 가볍게 넘기는 건 더 싫어서 한잔하기로 했다.

"오빠, 언제 전역했어요?"

"나? 올해 2월 28일에 전역했어."

"전역하자마자 바로 복학한 거예요?"

"그렇지? 어차피 휴학하고 마땅히 할 일도 없고, 빨리 졸업하고 싶어서."

대화는 가볍게 시작됐고, 대화를 통해 앞서 메꾸지 못한 서로에 대한 약 2년간의 공백을 하나둘씩 메꿔 갔다. 분위기도 대화처럼 서서히 가볍고 부드럽게 변해갔다.

"근데, 왜 연락 안 했어요?"

"아… 그랬나?"

"그랬나?"

"… 미안."

하지만 느슨해질 때쯤, 그녀는 나를 당황하게 했다. 예상밖에 질문으로 순간 당황하여 애써 에두르며 넘어가려 했지만, 섭섭했던 모양이다. 뒤에 말을 의문형으로 따라 하는데, 결국에는 사과할 수밖에 없었다. 다행히 사과 후부터 그녀는 먼저 다른 주제로 대화를 이끌며 분위기는 다시 가볍게 변해갔다.

대화는 예상과 다르게 길어졌는데, 맥주 한 잔에서 끝날 대화가 두 잔, 어느 순간부터 맥주잔을 셀 수 없을 때까지 이어졌다. 그중 제일 재밌는 주제는 역시 남의 연애사였다.

"도훈이 일병 때인가? 지영이랑 헤어지더니 상병 때인가? 그때쯤부터 수정 언니랑 사귀다 복학 전에 둘이 헤어진 거 알아요?"

"커뮤니케이션 학과 15학번 윤수정? 둘이 어떻게 만났어?"

"도훈이가 작년 가을에 잠깐 학교에 들렀을 때 언니랑 만났는데, 오빠 아시죠? 수정 언니가 인제인가? 양양인가? 아무튼 강원도까지 도훈이 면회 갈 정도로 좋아했던 거? 근데 마침 도훈이가 헤어졌네? 언니가 도훈이 만나자마자 바로 고백하고 둘이 사귀었대요!"

"근데 둘이 왜 헤어진 거야? 보통은 여자 쪽이 남자 쪽보다 더 좋아할 때 오래 가는데?"

"그때 오빠 없었어요? 왜요, 조경학과 16학번 남자들끼리 클럽 간 적 있잖아요? 그때 도훈이가 언니한테 거짓말한 뒤에 클럽 갔다 걸려서 언니가 충격받고 헤어지자 했대요."

"올해 설날 말하는 거야? 나 그때 군대 있었어! 아? 그래서 막 다음날에 수정이가 다짜고짜 "알고 있었지?"라고 울먹거리며 통화한 건가? 허, 참…."

한 번 불타오른 주제는 좀처럼 식을 줄 모르며 나는 괜히 흥이 났다. 가뜩이나 술기운으로 얼굴에 홍조가 느껴졌는데, 붉다 못해 타들어 가는 기분까지 들었다.

"오빠는 좋아하는 사람 없어요?"

"나? 이제 복학한 지 한 달밖에 안 됐는데 무슨…."

"왜요? MT는 고사하고 개강총회, 하다못해 술자리에 나갔을 거 아니에요?"

"안 나갔어. 그리고, 내 몸 하나 챙기는 거조차도 힘든데 연애는 무슨 연애야?"

술안주로 올라왔던 친구들의 연애사가 동이 나자 다음 술안주는 우리의 연애사였다. 하지만 나는 좋아하는 사람이 없을뿐더러 아직 마음속에 김설화가 남아 있어서 연애를 생각할 겨를조차 없었다. 유명진도 나와 마찬가지인 거 같았는데, 오랫동안 알고 지낸 만큼 솔직한 성격에 좋아하는 사람이 있을 때 티를 안 낼 리가 없었다. 당연히 가볍게 꺼낸 주제로만 여기고는 다음 주제를 생각했으나, 유명진이 폭탄을 던지며 맥주를 마시다 뿜을 뻔했다.

"그래요? 저는 있는데?"

"어!? 누군데? 아는 사람이야? 설마, 동기야? 도훈이? 정환이? 아니면 호성이…"

"아니거든요! 일단, 아는 사람은 맞는데…"

"그래서 누군데!?"

"아, 좀! 비밀!"

서두에 폭탄을 던져 놓고 결말이 김빠진 맥주처럼 미적지근했는데, 한 번 호기심을 자극한 이상 이대로 끝내기에는 아쉬웠다. 어떻게 하면 누군지 알아낼까 고민하며 술에 담겨 있는 머리를 최대한 돌린 결과, 간접적으로 힌트를 얻기로 했다.

"좋아! 대신 어떻게 만났고, 왜 좋아하게 됐는지만 말해줘."

"수사관이세요? 왜 이렇게 꼬치꼬치 캐물어요? 누가 보면 내가 피의자인 줄 알겠네?"

"말하기 싫으면 말고? 그럼 이제 갈…"

"아, 알겠어요! 대신 언니를 어떻게 만났는지 얘기해줘요. 예전에 얼핏 들어보니까 대학교에 들어오기 전부터 알고 있던 사이 같던데요?"

유명진은 좋아하는 사람을 간접적으로 말해주는 조건으로 내가 어떻게 김설화와 만나게 된 건지를 물었다. 헤어진 이유도 아닌 만큼 말하지 못할 게 없었으므로 맥주를 한 잔 더 시킨 뒤, 첫 만남부터 얘기를 시작했다. 그러나 있는 사실 그대로를 말했지만, 유명진은 얘기를 듣는 동안 탐탁지 않은 표정을 지었다. 뾰로통한 표정에서부터 드러났는데, 얘기가 끝나자마자 곧 질문 공습을 시작했다.

"중간에 많이 생략된 거 같은데요? 초등학교 때 같은 반이었다

중학교 때 헤어졌고, 다시 대학교 때 만난 게 지금까지의 얘기에 전부인데, 왜 첫사랑이었던 거에요? 하다못해 잠시의 스쳐 지나간 풋사랑 느낌조차 안 드는데?"

"아무튼, 나는 얘기 다 했다?"

"아, 뭐에요! 더 얘기해요!"

"됐고, 네 차례다?"

"쳇… 치사해!"

유명진은 내가 전부 얘기하지 않았다 얘기하며 먼저 자리를 박차 일어났다. 결국 유명진이 누구를 좋아하는지, 하물며 왜 좋아하게 됐는지조차도 듣지 못한 채 술자리는 끝을 맺었다. 기껏 호기심을 자극해놓고 실마리조차 주지 않아 같은 주제로 계속 대화를 이어 나갈까 생각했다. 하지만 유명진이 여전히 뾰로통한 표정을 지으며 차마 같은 주제로 대화할 수 없었다.

기분을 좀 풀어주고 술도 깰 겸 몇 정류장을 함께 걷기로 했지만 걷는 동안 서로에게 궁금한 점, 즉 정곡을 찌른 주제는 피해 갔다. 서로 나름 배려하며 얘기했던 건데, 술기운에 정신까지 차리느라 짧게는 몇 걸음, 길게는 몇 블록 동안 대화가 끊기곤 했다.

"이제 갈게요."

"벌써?"

"노원역에서 버스 타려면 지금 가야 해요."

시계를 확인하니 어느새 자정까지 한 시간밖에 안 남았다. 나와 달리 통학하는 유명진은 지하철을 타고 집에 갔는데, 사실 더 늦게 가도 괜찮으나 환승역에서 버스를 타고 편하게 집에 가려면 지금

가야 했다. 때마침 대화가 끊긴 지도 어느덧 한 블록째, 유명진의 표정도 다시 웃고 있어 이제는 가도 충분하겠다 싶었다.

마지막으로 유명진을 군자역까지 데려다준 다음 집으로 가려는 찰나였다. 긴장이 풀리며 술기운에 흐려져 가는 시야에서 토끼풀꽃 하나가 보였다.

"어? 잠깐만!"

"왜요?"

"이거 봐봐!"

"클로버 아니에요? 여름이나 가을에 피는데 왜 지금 폈지?"

"그러게? 무슨 일일까?"

길을 걷다 보면 흔히 발견하는 토끼풀꽃이나 여러 토끼풀 중 딱 하나만 꽃망울을 맺어 신기했다. 꽃말이 '행운'인데 딱 하나만 핀 만큼 그 의미가 더욱 선명히 느껴졌다. 좋은 의미라고 생각해 토끼풀로 반지를 만든 뒤 유명진의 손가락에 걸어줬다. 누군지는 모르겠지만, 좋아하는 사람과 잘 되기를 바라 선물로 준 거였다.

"설마, 고백이에요?"

"그냥 선물이니까 일일이 의미 부여하지 마."

"농담도 못해… 아무튼 고마워요!"

말은 퉁명스럽게 한 그녀였으나, 나의 예상치 못한 선물로 기분 좋은 표정을 짓고 있었다. 웃다 못해 그녀의 입꼬리가 팔자 주름까지 이어지는 거만 같아 나까지 미소가 만개했는데, 어느새 역까지 몇 걸음이 채 남지 않았다. 마지막으로 말이 나온 김에 토끼풀꽃의 꽃말을 대화의 주제로 꺼냈다.

"토끼풀꽃의 꽃말 알아?"

"'행운' 아니에요?"

"맞는데, 다른 의미도 있어. 대표적으로 '약속'이란 의미도 있는데, 네가 약속이란 의미로 반지를 받았고 또 아까 네가 좋아하는 사람을 말하기로 약속했으니까 다음에 말해줘."

"하! 세상에 공짜는 없다니까? 알겠어요, 대신…"

"어라? 벌써 역에 도착했네? 이제 갈게, 다음 주에 봐!"

"야! 김민재!"

지키지 못할 약속은 하지 않는 게 나았다. 상대방에게 기대를 주는 만큼 더욱 크게 실망을 주므로, 말이라도 하지 않는 게 차라리 나았다. 특히 무슨 약속을 할지 뻔히 보이며 말을 꺼내기도 훨씬 전에 집으로 뛰어갔다.

잠시나마 유명진 덕분에 웃음을 되찾을 수 있었지만, 역시 기분이 완벽히 좋아진 게 아니었다. 홀로 남겨진 뒤부터 다시 기분은 좋지 않는데, 정확하게 토끼풀 반지를 만든 뒤부터 좋지 않았다. 토끼풀 반지를 만들며 옛 생각, 즉 너와의 첫 이별 후 너를 잊지 못한 게 토끼풀 반지였던 게 생각난 거였다.

지금 생각하면 정말 멍청하다 못해 한심한데, 화이트데이 때 꽃집을 나오며 네가 배웅할 때이다. 당시 문 앞까지 네가 배웅했는데, 그날도 문 앞에 토끼풀꽃이 한 송이 펴있었다. 계절을 착각하며 홀로 만개한 건데, 너는 이를 보곤 반지를 만든 뒤 내 손가락에 걸며 약속할 걸 이야기했다.

"다음에 만날 때, 노란 장미 한 송이 대신 한 아름을 선물할 수 있어?"

"어? 어… 그래!"

"대신, 오늘과 다르게 선물해줘."

"어떻게? 배달이라도 할까?"

"… 됐다. 다음에 보자!"

다른 의미를 뒤늦게 안 나는 늦게나마 약속을 지키기 위해 이후 모든 걸 너 하나에 걸었다. 약속한 대로 노란 장미 한 아름을 너에게 선물하기 위해, 그리고 너를 만나기 위해 달력을 일곱 장이나 넘겼다. 오직 '약속'을 지키고자 한 이유 하나로 너를 기다렸다.

*

너와의 이별 후, 한동안 온전치 못했다. 체온계는 정상이라 얘기하나 약간의 미열로 정신이 오락가락했고, 겉으론 멀쩡해 보이나 가슴이 갑자기 턱 막히곤 했다. 눈은 하염없이 흐르는 눈물로 퉁퉁 붓는 게 일상이었고, 제대로 먹지 못해서 살은 부쩍 말랐다.

지독한 짝사랑으로 상사병을 제대로 앓은 건데, 한 번뿐인 인생처럼 이번 생에 첫사랑이라 병의 깊이는 가히 헤아릴 수 없었다. 그러나 감기가 언젠가 낫듯 시간이 흐르니까 문득, '혼자 앓는다한들 무슨 소용이 있을까?'라는 생각과 더불어 '어떻게 하면 너를 만날 수 있을까?'라는 생각이 들며 병세가 점점 완화됐다.

차츰차츰 병이 나아가며 생각은 반대로 깊어지기 시작했고, 너와 같은 벚꽃잎이 푸른색으로 무성해질 때쯤이 된 후에야 결론이 매듭

지었다. 지금 생각하면 꽤 웃긴 결론으로, 공부가 그 답이었다.

너처럼 누구에게 영향력 있게 주도하지 못하고 자랑할만한 재주라고 찾아볼 수 없는 내가 할 수 있는 건 오직 공부뿐이라고, 학생으로서 너를 만날 가능성을 높일 방법은 오직 공부뿐이라고 결론을 지은 거였다. 귀엽다 못해 멍청하게도 보이나 결론을 지은 뒤부터 나는 이를 앙다물고 공부하기 시작했다. 기약은 없었으나 이렇게 하면 너를 만날 수 있을 거라 믿었다.

하지만 노력만으로 넘을 수 없는 현실의 벽이 존재했다. 몇 날 며칠 밤을 수없이 지새운 노력과 다르게 첫 입시에서 대학에 모두 떨어진 거였다. 좋은 대학에 합격하자는 일념으로 6년을 달렸지만, 결과는 재수 없는 재수였다. '모든 게 끝났다'라는 생각에 곧바로 재수하지 않고 한동안 친구들과 술로 밤을 지새우고는 했다. 매일 술에 절어 살았는데, 겨울이 가고 봄이 올 어느 무렵이었다.

"한잔하지!"

"질 수 없지!"

대학가에서 자존심에 못 하는 술을 왈칵 마시며 친구들 몰래 뒷골목에서 속을 게워내는 중이었다. 한참 속을 게워내는데, 누군가 뒤에서 등을 두들겼다. 친구인 줄 알며 깜짝 놀라 황급하게 뒤돌아봤는데 얄미운, 아니 빌어먹을 운명은 나를 더 깜짝 놀라 켰다.

교복을 입는 동안 사랑했던 한 사람 아니, 지금까지의 인생에서 사랑했던 한 사람이 눈앞에 서 있었다. 6년간 죽도록 보고 싶던 한 사람, 하루를 살아가게 한 사람, 바로 네가 서 있었다.

평행 세계에서 나는 계획에 성공했을지도 몰랐다. 입시 성공으로 한껏 자존감이 올라간 뒤, 멋진 모습으로 너를 만났을지도 몰랐다. 하지만 현재 세계에 나는 멋진 모습은커녕 누가 봐도 초췌한 모습으로 너를 보게 하였다.

"야! 김민재!"

"…"

"김민재?"

모른 척하며 넘어가길 바랐지만, 이때도 너는 네 이름대로 눈의 꽃처럼 내게 다가온 뒤 나의 이름을 불렀다. 네가 내 이름을 부른 순간, 처음에 만난 그 순간과 같이 그 자리에서 굳어버렸다. 아무 말조차 하지 못하는 나를 보며 너는 화를 낼 줄 알았건만, 처음과 다르게 씩 웃은 채 다시 먼저 입을 열었다.

"여전하네."

"… 너도."

그러나 너는 단 네 글자로 6년간의 노력을 무너뜨렸다. 알량한 자존심에 애써 괜찮은 척을 했지만, '여전하다'라는 말은 헛수고를 얘기한 거만 같았다. 여전히 너는 나를 마냥 14살짜리 꼬마로 보는 기분이었다.

필연 같은 우연, 혹은 우연이 될 이 필연은 나를 산산조각 냈다. 하지만 이 만남은 나를 다시 살아가게 하였다. 네가 다니게 될 대학교에 들어가고자 새롭게 목표가 생겼다. 언젠가 네가 어렴풋이 이야기한 꽃집을 차리는 꿈을 이루는 데 도움이 되는 너의 학교, 너의 조경학과로 진학할 목표가 새로 생겼다.

목표가 정해진 뒤에 시간은 속절없이 흘렀다. 매일 아침 6시에 일어나 1시간 내로 재수학원에 도착, 정해진 대로 밤 10시가 아닌 그보다 더 공부하며 무조건 할당량을 채우고 집에 가곤 했다. 지금 생각하면 지칠 법한데, 당시 목표가 생긴 나는 그 목표를 생각하면 하염없이 부족하다 생각하며 지칠 수 없었다.

목표를 달성하고자 처음 입성한 봄을 지나 엉덩이에 땀띠로 고생하던 여름, 그리고 선선하다 못해 부담으로 다가오게 된 가을까지, 어느 순간 시간이 지났다. 그러나 수능을 치르고 결과를 받게 된 날, 이때에도 노력은 물거품이 되어 첫 수능보다 못한 성적을 받게 됐다. 그때의 내게 노력이란 성공하게 된 사람들에게만 해당하는 말이 됐다. 패배자에게 절대 해당할 수 없는, 그저 헛된 꿈에 불과하게 됐다.

그해 겨울 또한 매일 지옥이었고, 매일 슬픔이었다. 마음이 흔들리지 않았다고 말할 수는 없었지만, 그저 너를 한 번이라도 볼 수 있으면, 멋진 모습으로 볼 수 있으면 좋겠다는 마음으로만 버텼다. 하지만 현실은 너를 떠나보내라 속삭인 거만 같아서 한동안 맨정신으로 버틸 수 없었다.

"야! 야! 그만 마셔!"

"진짜 큰일 나! 어떻게 일주일 내내 술로 보내?"

"… 내버려 둬. 술이라도 안 마시면 죽을 거 같아."

매일 못 하는 술을 마시며 날짜를 지웠다. 흐리멍덩한 정신에도 매일 날짜를 지우는 건 스물한 살에도, 그리고 열네 살에도 잊지 않았는데, 여섯 번째로 간 달력이 어느새 X자로 꽉 차려고 한 어느 날, 두 번째 대학 입시 원서를 쓸 때가 찾아왔다.

삼수를 진지하게 생각하며 또 재수학원에 지원할까 고민했지만, 그때는 너를 보고 싶다는 간절함보다 당장 힘듦이 크게 다가왔다. 정말 두 번 다시는 못할 거 같아 총 세 군데 중 두 군데는 성적에 맞춰 지원했는데, 마지막으로 지푸라기를 잡는 심정에 한 군데는 소신껏 네가 있는 대학, 네가 있는 학과에 지원했다. 아주 가망이 없지 않아 신에게 듣고 계신다면 한 번, 절실한 바람을 들어주길 바라며 무모한 도전을 감행했다. 그러나 결과는 답이 조금이라도 안 보이는 예비 20번, 합격은 헛된 꿈같이 다가왔다.

모든 결과가 나온 뒤, 남은 겨울은 너를 잊고자 매일 친구들과 놀러 다니며 겨울을 죽이는 데 열중했다. 이제 봄이 와도 너를 볼 수 없다는 생각에, 설령 우연이 마주쳐도 잠시 스쳐 지나갈 거란 생각에 좋든 싫든 현실을 마주하기로 했다. 그렇게 설날과 더불어 달력을 일곱 번째로 간 다음 일곱 번째 저녁이 찾아왔다. 전날의 술병으로 응급실에서 위세척한 탓에 술 대신 게임을 하고자 동네 PC방에 있었는데, 모르는 번호로 전화가 왔다.

'빌어먹을 놈이 또 못 오겠다 전화한 건가?'

만나기로 했었던 친구가 전날 술자리에서 핸드폰을 잃어버렸고, 핸드폰 번호로 전화 왔었던 게 아니었으므로 당연히 그 친구가 집 전화로 내게 전화한 줄 알았다. 친구에게 무조건 오라는 의미에서 일부러 전화를 받지 않았는데, 같이 있던 다른 친구가 깜짝 놀라 전화를 빨리 받을 걸 얘기했다.

"야! 빨리 받아!"

"아, 왜? 저번에도 파투 냈는데, 이번엔 와야 하는 거 아니야?"

"아니, 앞에 번호 안 보여? '062'가 아니라 '02'잖아! 지금 저녁 8시인데 전화 올 데가 어디 있겠어?"

"… 어?"

저녁 8시면 정말 보이스피싱, 하다못해 여론 조사 전화도 오지 않을 시간이었다. 주변에 군대 간 사람도 없었던 상황, 전화가 끊어지기 전에 서둘러 전화를 받았다. 마른침을 삼킨 채로 전화를 받았는데, 칙칙한 남성의 목소리 대신에 상냥한 여성의 목소리가 들려왔다.

"김민재 씨죠?"

"… 누구시죠?"

"안녕하세요? 입학처입니다!"

"아, 네!"

"합격하셔서 연락드렸습니다!"

현실은 때로 소설보다 더한 법이다. 그날 소설에 주인공은 내가 됐다. 전혀 예상치 못했는데, 작년에 예비 10번까지 붙었으나 나는 예비 20번을 받아 기대조차 하지 않았다. 그런데 합격? 순간적으로 꿈인가 생시인가 싶어 어안이 벙벙했으나 담뱃재가 손가락에 떨어지며 생생하게 뜨거움이 느껴졌고, 그제야 합격이 꿈이 아닌 현실인 걸 알게 됐다.

냉담자가 된 이후, 처음으로 간절하다 못해 절실히 신에게 기도했다. 그동안에 들어주지 않았으니까 이번 한 번 만큼은 들어달라 절실히 신에게 기도했다. 나 스스로 또한 욕심이라 보였지만, 내가 생각했던 거보다 너무 절실했는지 신은 결국 기도를 들어줬다. 그 고마움에, 한편으로 스스로 수고했단 마음에 그동안 애써 억눌렀던 감정이 폭발했고 마침내 눈물로 쏟아졌다.

"고생했다, 고생했어."

"뭐야! 김민재 합격했어? 축하한다!"

"다들 고마워… 진짜, 고마워…."

"근데… 지금 여기 있을 게 아니라 빨리 집에 가봐야 하는 거 아니야? 개강까지 딱 2주 남았는데, 서울로 올라가면 준비할 게 많을 거 같은데?"

"맞아! 잘못하면 학교 앞이 아니라 다른 데에서 살 수도 있다? 어차피 술도 못 마실 건데 서둘러 집에나 가라. 맞다! 합격증은 꼭 뽑고 가! 부모님 보여드려야 할 거 아니야?"

곧바로 2주밖에 남지 않은 개강을 준비해야 하므로 나는 약속을 취소한 뒤 PC방을 나왔다. 엘리베이터를 기다리는 시간조차 아까워 계단으로 뛰어 내려갔는데, 건물에서 나오자마자 발걸음이 저절로 멈췄다. 온 세상이 눈의 꽃으로 만개했던 거로, 앞이 보이지 않을 정도라 손쉽게 밖으로 발걸음을 디딜 수 없었다.

한시라도 급한 상황이나 하늘에서 내리는 소낙눈이 어느새 싸락눈이 돼도 계속 보게 됐다. 눈 하나하나에 그동안의 기억들이 떠오르며 찰나에 느낀 행복을 이어 만끽하게 된 건데, 문득 이 모든 게 신의 계획이 아닐까 싶었다. 때로는 돌아갈 수도, 원하는 바를 못 이룰 수도 있지만, 그때의 아쉬움이 나중에 값진 결과를 이룩할 때 더 찬란히 빛나도록 하기 위함이 아닐까 싶었다. 신이 아니라 감히 단정 짓지 못하나 확실한 건 그 자리에서 한 번 더 기도를 드렸다.

당신의 뜻이 나의 뜻과 같기를, 내 노력이 헛되지 않은 걸 알려
준 만큼 남은 노력 또한 헛되지 않기를 절실히 기도했다. 앞으로
달력에 날짜를 지우는 게 의미 없지 않기를 마지막으로 기도하며,
눈의 꽃 사이로 달력을 지우러 갔다.

제3화 행복한 데 행복하지 않은 백일홍 핀 봄

누군가가 말했다. 벚꽃의 꽃말은 중간고사라고. 맞는 말이다. 또 다른 누군가가 말했다. 군 복학생은 성적이 좋아질 거라고. 웃기지 마라. 중간고사 성적에 꽃(Flower)이 피어날 기미가 보이는데 무슨, 성적이 좋아진다? 머리가 굳다 못해 말하는 감자된 기분이다.

한참 중간고사 성적을 들여다보며 넋을 놓았는데, 성적에 대한 충격이 컸나 보다. 당장 옆에 누군가 다가오는 줄도 모른 채 우두커니 성적만 쳐다보다 그만 사냥당하고 말았다. 호숫가에서 물을 마시다 악어에게 사냥당한 임팔라처럼 말이다.

"바오로 형제님!"

"깜짝이야!"

"몇 번을 불렀는데 왜 대답하지 않아요?"

"미안…."

"요즘 생각이 많아졌어? 또 설화 언니 생각하지!"

"야!"

당황스러움에 도서관 자리를 박차고 소리치는 순간, 모든 이목이 내게 집중됐다. 이에 죄송하다 연거푸 얘기하며 다시 자리에 앉은 뒤, 마음을 가다듬고 대화를 이어갔다.

"죽고 싶습니까? 카타리나 자매님."

"밥이나 사십시오, 바오로 형제님. 기껏 족보를 구해준 사람에게 죽고 싶냐 말이 무슨 말입니까?"

"쳇…."

"배고프니까 빨리 나와요!"

대화를 마치자마자 유명진은 어느새 어깨까지 자란 머리를 나비처럼 나풀거리며 나갔다. 솔직히 얄미울 법했으나 전혀 얄밉지는 않았다. 놀린 만큼 아니, 그보다도 훨씬 많이 자기 사람을 챙겨서 도저히 얄미울 수 없었다. 지난번에 일본의 정치 경제 강의 때도 그렇고 이후 전공 강의까지도 그녀는 내가 다시 학교에 적응할 수 있도록 많은 도움을 줬다.

도서관에서 그녀에 대한 고마운 감정과 함께 짐을 챙긴 뒤, 얼마 걷지 않아 건대입구역에 도착했다. 평일이나 번화가라 자리가 없어 아무 포장마차에 자리가 있는 대로 들어갔는데, 말이 포장마차지 프랜차이즈 가게라 제법 값이 나갔다. 하지만 얄미운 동기는 남의 지갑 사정조차 모른 채 계속 음식을 시켰다.

"야, 야, 그만 시켜!"

"아, 사랑하는 동기를 위해 이 정도도 못 사나?"

"하… 조그마한 게 왜 이렇게 잘 먹냐? 진짜 궁금한 건데, 살은 다 어디로 가냐?"

"오빠 뱃속?"

"이게 진짜!"

내 성적처럼 그녀의 얼굴에도 꽃이 피려 했으나 차마 미워할 수 없어 한숨만 나왔고, 그저 속으로만 눈물을 삼킨 채 통장에 돈을 떠나보낼 준비를 했다. 한참을 주문한 뒤에야 그녀의 폭격이 끝났는데, 더 시킬세라 쏜살같이 자리를 일어난 뒤 계산하러 나갔다.

"계산이요."

"몇 번 테이블이세요?"

"이미 내가 계산 다 했는데?"

어느새 화장실에 간 유명진이 내 뒤로 오더니 자신이 계산한 걸 얘기했다. 족보를 이유로 사실 그동안 고마운 게 많아 한턱 내려한 건데 그녀가 계산하며 적잖이 당황했다.

"내가 계산하는 거 아니었어?"

"2차는 오빠가 계산하세요!"

콧노래를 흥얼거리며 먼저 밖에 나가 순간 넋을 놓았지만, 이내 정신을 차린 뒤 그녀의 뒤를 쫓았다. 그렇지만 1차에서 제법 값이 나온 상황, 2차는 또 얼마나 먹을까 걱정돼서 가슴 치레를 했으나 이번에도 유명진은 나의 넋을 놓게 하였다.

2차로 가는 내내 통장 잔액을 확인했던 내가 무색하게 그녀가 선택한 2차 장소는 근처 일감호였고, 고작 사 달라고 부탁한 것은 캔맥주였다. 심지어 맥주 중에 가장 값이 싼 필라이트 캔맥주였다.

"이걸로 되겠어?"

"돈 없는 복학생한테는 안 뜯죠! 저도 양심이라는 게 있습니다!"

"어이없네? 나도 돈 있거든!"

"됐습니다! 만날 때마다 돈 없다 찡찡거리는데, 무슨?"

"'티끌 모아 태산'이라는 말 몰라? 나도 쓸데는 써!"

무슨 할 말이 남았는지 우리는 벤치에서 계속 대화를 이어갔다. 누가 보면 싸우는 걸로 느껴질 정도의 억양으로 신이 난 채 대화를 주거니 받거니 했는데, 술이 깨며 피곤하다고 느낄 찰나에 어느덧 집으로 갈 시간이 됐다. 자리를 정리한 뒤 역으로 향하는데, 유명진이 대뜸 없이 또 너를 언급했다.

"오빠, 이제 정말 설화 언니 잊었어요?"

"야, 또…"

웃음 대신 진지한 그녀의 얼굴, 욱한 감정이 가라앉으며 골똘히 잠시나마 생각했다. 정말로 잊었을까? 잘 몰라 일단 생각나는 대로 대답했다.

"안 잊었으면? 어차피 이제 돌이킬 수 없잖아."

"그렇죠…."

나름대로 정리하며 대답했으나 결과는 정류장까지의 침묵에 시작이었다. 거리가 얼마 되지 않은 만큼 짧은 시간이었지만, 그 시간은 처음 만났을 때 그 순간보다 더 어색하게 느껴졌다. 거짓말이라도 "당연히 잊었지! 내가 누군데?"라고 대답하는 게 훨씬 나았을까? 겨울보다 여름에 더 가까워진 날씨인데도 분위기가 얼어붙어 너무

나도 추웠다.

　다행히 금방 역에 도착했지만, 이대로 헤어지면 서로 사뭇 어색해질 게 뻔했다. 내일 다시 친한 오빠 동생 사이로 돌아가기 위해 먼저 인사를 건넨 다음 떠나려고 했으나, 그녀는 내 옷자락을 붙잡더니 예상치 못한 말을 꺼냈다.

　"민재 오빠."

　"왜?"

　"안 잊어도 돼요."

　"어? 무슨…"

　평상시에 짧은 1초나 이후 순간만큼은 한 프레임, 한 프레임씩 찍혔다. 하지만 결과물은 정말 예상치 못한 결과라 그녀가 떠난 지 한참이 지난 후에도 멍하니 역 앞 계단에 서 있었다.

　"좋. 아. 해. 요."

　결과물을 계속 합쳐봐도 전혀 예상치 못한 결과였다. 누구보다 그녀를 잘 안다 생각한 나라 적잖이 놀랐는데, 우두커니 역 앞에 서 있을 때도, 집으로 돌아오는 길에도 역시 똑같은 결과만 반복될 뿐이었다.

　집에 돌아온 뒤 침대에 누웠지만, 똑같은 결과만 반복되며 잠을 못 이루고 한참을 뒤척였다. 일어나 있는 거보다도 못한 상황, 결국 대충 옷가지를 두른 다음 집 밖으로 나와 무작정 거리를 걷기 시작했다. 잠깐 걸을 거라는 생각과 다르게 꽤 오래 걸었고, 중랑천을 따라 걷다 보니 어느새 한강까지 도달했다. 저 멀리 동호대교부터 한남대교까지 보일 때쯤 정신이 들었는데, 저절로 한숨이 나왔다.

친구, 그 이상 그 이하로 유명진을 생각한 적은 없었다. 학교 안에서 그 누구보다 같이 붙어 있는 시간이 많았지만, 연인으로서의 생각은 물론 상상조차 한 적은 없었다. 그러나 나의 마음과 상대의 마음이 완벽히 같을 수 없는 거처럼 나와 달리 그녀는 그동안 나를 친구 이상으로 봤었고, 나를 결국 선택의 길목에 놓았다.

아무리 생각해봐도 그녀가 연인으로서 도저히 상상되지 않았다. 하지만 친구로서도 유명진을 잃고 싶지 않아 어떻게 할지 몰랐다. 생각을 멈춘 채 멍하니 야경만을 바라봤는데, 시선이 하나로 집중되며 붉은색 꽃이 보였다. 무슨 꽃인가 싶어 꽃으로 발걸음을 옮겼는데, 백일홍이었다. 자리를 잘못 잡은 건지 모르겠지만, 홀로 의연하게 불타오른 모습을 보였다. 나에게 선명하게 '떠나간 임을 그렸는데', 그 모습에 고민이 확신으로 변해 고백을 거절하자 다짐했다.

백일홍처럼 아직 떠나간 임을 그리는데 다른 사람에게 온전하게 사랑을 줄 수 없을 게 분명했다. 무엇보다 그녀가 호기심과 사랑을 착각한 걸 수도 있었다. 그렇게 다시 백일홍이 핀 봄, 나는 떠나간 너만을 그릴 걸 결정했다.

*

비록 스무 살은 아니었지만, 스물한 살의 봄은 첫 캠퍼스 라이프라 초반에 설렘이 가득했다. 자취방 창문 넘어 일출을 보며 아침을 맞이하고 노을을 조미료 삼아 멋진 저녁을 만드는 낭만적인 설렘 말이다. 하지만 막상 자취를 시작하자마자 당장에 밥하는 거조차

귀찮았고, 무슨 놈의 쓰레기는 시도 때도 없이 나왔다.

이상과 현실의 괴리로 초반에는 매우 힘들었다. 무엇보다 나를 힘들게 만들었던 건 대학교 문을 닫고 들어와 OT, 새내기 배움터 등 사람들과 친해질 기회를 못 받은 점이었다. 먼저 대학을 들어간 친구들은 조급하지 말고 기다리면 분명히 기회가 있을 거라고 나를 위로했지만, 첫 강의부터 이미 애들끼리 삼삼오오 무리가 만들어져 도저히 낄 틈이 없었다. 당시 지금보다 훨씬 내향적인 나는 이후 또한 당연히 기회를 잡을 수 없었고, 이상과 다르게 매일 학교와 집을 오고 가는 현실을 보냈다.

자격지심, 이 네 글자가 당시의 나를 대변했다. 다른 학년, 다른 커리큘럼이라 당시에 분명히 너를 만날 일은 코빼기도 없었지만, 같은 학교, 같은 학과인 만큼 혹시 몰라 괜스레 움츠려져 학교에 은둔하다시피 다녔다. 무엇보다도 세 번째로 너를 만났을 때조차 초라하게 보일까 봐 무서웠다.

어느덧 시간은 흘러 벚꽃에 꽃망울이 오르기 시작한 3월 중순이 됐다. 그동안 다행히 너를 만날 일은 전혀 없었는데, 비로소 행여나 너를 만날까 하는 걱정에서 조금이나마 벗어나며 긴장이 풀렸다. 혼자 자유로이 돌아다닐 정도로 상태도 많이 호전됐다.

"한 번 동아리에 놀러 오세요!"

2016년 3월 21일, 오전 강의를 마치고 학생 식당으로 가던 길이었다. 학생회관 앞에서 누군가 갑자기 손을 잡은 뒤 동아리 홍보 포스터를 건넸다. 거절할 틈조차 주지 않고 포스터를 건네자마자 사라졌는데, 어이가 없어 당시 바로 포스터를 버릴 생각을 못 했다.

한동안 잊은 채 그날 집에 와서 짐을 정리할 때야 가방 속에 꾸깃꾸깃 넣은 걸 발견하며 버릴 걸 생각했지만, 만든 성의를 생각하며 버리기 전에 마지못해 한 번 봤다.

'천주교?'

포스터를 보자마자 코웃음만 나왔는데, 밴드, 운동, 하물며 학술 동아리도 아닌 종교 동아리 홍보 포스터였다. 집안이 가톨릭 신자 집안이나 개인적으로 냉담한 지는 매우 오래됐다. 성당에 갈 일은 절대 없다 생각이 들어 그대로 포스터를 버리려 했으나 문득, 신이 나를 도운 게 생각났다. 무엇보다도 이상하다시피 동아리에 대해 거부감이 들지 않았는데, 어느 순간부터 동아리에 한 번쯤 가 보고 싶다는 생각이 들었다. 때마침 학교에 연고가 없어 친구조차 없는 상황, 혹시 동아리에 들어갈 때 친구를 사귈 수 있지 않을까 생각마저 들었다.

집에 돌아온 지 얼마 되지 않은 시간, 파랗다 못해 군청색으로 하늘이 물들 때 결국 동아리 방을 찾아갔다. 하지만 이상하다시피 동아리 방에 다가갈수록 가슴이 두근거리기 시작했다. 낯선 사람이 말을 걸었을 때가 아닌 왠지 아는 사람을 오랜만에 마주쳤을 때만 느낄 수 있는 그 두근거림 말이다. 그런 일은 없을 게 분명했지만, 이상하다시피 동아리 방과 나의 거리가 가까워질수록 심장 소리가 크게 울렸다.

심장 뛰는 소리만 들릴 때쯤, 마침내 동아리 방 앞에 도착했다. 애써 호흡을 가다듬은 채 동아리 방 문을 잡는데 숨이 턱 막힌 건 물론, 힘이 풀리며 그 자리에서 그만 주저앉을 뻔했다.

'김설화!? 대체 왜 여기에…'

문 너머 책상에 누군가가 홀로 앉아 있는 게 보였는데, 한눈에 알아보았다. 긴 생머리부터 흰 블라우스와 검은 스커트까지, 제법 대학생다운 맵시를 뽐내 흘깃 볼 때 모를 법했으나, 집중할 때마다 입을 꾹 다무는 습관부터 생각할 때마다 눈을 오른쪽 아래로 돌린 습관까지 시간이 지나도 변치 않은 모습에 단번에 너인 것을 알아보았다.

당시에 나는 너와 다르게 학교 잠바에 후드티를 입어 누가 봐도 신입생처럼 안 보이는 건 물론, 초췌한 아저씨 같았다. 세 번째의 만남만큼은 초라해 보이고 싶지 않아 잡고 있던 문고리를 서서히 떼며 돌아가려고 했는데, 인기척을 느꼈는지 네가 나에게로 시선을 향했다. 삼 초 남짓의 아이 콘택트가 이내 이뤄졌지만, 이때만큼은 뒤도 돌아보지 않고 바로 도망갔다. 뛸 수 있는 최대한 속력으로, 동아리 방을 넘어 학생회관이 보이지 않을 때까지 계속 뛰었다.

가로등만이 홀로 조용히 비추는 버스 정류장에 도착한 다음에야 뛰는 걸 멈춘 채 그대로 의자에 털썩 주저앉았다. 고개까지 숙인 채 땅이 꺼지라 한숨만 쉬는데, 한 번 꺼진 고개를 좀처럼 들 수 없었다. 그렇게 만나기를 갈망하고 원했는데 결국 도망쳐서, 수백 번이 모자랄 정도로 다짐하고 결심했는데 결국엔 도망쳐서 좀처럼 고개를 들 수 없었다. 스스로 정말 한심했다.

하늘은 군청색에서 보랏빛으로 변했으나 나는 계속 의자에 털썩 고개를 숙인 채 앉아 있었다. 하지만 눈치 없는 배는 꼬르륵 소리 내기 시작했고, 밥은 먹어야 하므로 결국 자리를 훌훌 턴 채 버스

탈 준비를 했다.

'다음 버스가… 30분 뒤!?'

하지만 내 마음대로 되는 일이란 없었다. 배고파 죽겠는데 버스 시간까지 한참 남았다. 마침 사람이 없어 답답한 마음에 담배라도 피울 걸 생각하며 담뱃불을 붙였는데, 아까 네 모습이 뽀얀 담배 연기에 비치기 시작했다. 내 기억 속에 너와 달리 흰 블라우스에 검은 스커트를 입은 너, 예전에 너의 색채처럼 화사한 분홍색 티셔츠에 밝은 하늘색 청바지를 입은 너는 아니었으나 무엇을 입던 지 여전히 빛나 보였다.

"저기요?"

괜스레 기분이 좋아지며 혼자 실실 웃기 시작할 찰나, 누군가 뒤에서 등을 툭툭 쳤다. 전혀 인기척을 느끼지 못한 탓에 깜짝 놀라 황급히 뒤돌아봤는데, 아까의 흰 블라우스에 검은 스커트를 입은 사람이 서 있었다. 호기심에 가득 찬 눈부터 궁금할 때 툭 내미는 입술까지, 여전한 표정으로 내 앞에 서 있었다.

도망치며 분명히 극복했다 생각했다. 하지만 너를 막상 마주한 순간에 나는 또다시 얼어붙었다. 찰나가 영겁처럼 느껴질 때쯤에 마침내 네 입 모양에서 변화가 시작됐다.

"야! 김민재!"

"…"

"김민재?"

여러 번 내 이름을 불렀으나 나는 한참 아무 말조차 못 한 채 그대로 멍하니 서 있었다. 너는 그런 나를 바라보며 씩 웃더니 곧 나에게 질문을 던졌다.

"아까는 왜 그냥 갔어?"

"… 봤어?"

"그럼! 누가 봐도 너던데?"

"하… 진짜?"

"진짜! 애초에 시대가 언제인데 그 '촌스러운' 뿔테 안경을 써? 더벅머리인 사람 중 검은 뿔테 안경을 쓰는 사람은 대학에 너밖에 없을걸?"

'촌스러운…'

이번에도 너는 나를 찰나에 무너뜨렸다. 결국 죽어라 도망쳐도 여전히 나는 네 손바닥 안인 걸 얘기했는데, 노력이 물거품이 된 기분에 계속 헛웃음만 나왔다. 그러나 너는 이런 내 마음을 몰라 예전에 너의 꽃집에서 지은 웃음처럼 나와 함께 웃음을 지었다.

"내가 선배인데 존댓말 해야지?"

"어? 어… 선배님?"

"풋! 요즘 대학에 그런 게 어딨어? 동갑이면 친구지! 굳이 선배님이라고 부른다면야 뭐… 거절하지는 않을게? 아니다, 부르지 마. 네가 나보다 나이 많아 보이는데, 선배라고 부를 때 사람들이 내 나이를 어떻게 생각하겠어?"

"뭐? 내 얼굴이 어때서! 풋풋한 20대 초반으로 보이는데!"

"거울 안 보고 다니지? 아니면 거울이 없나? 선물로 사줄까?"

"이게!"

계속 대화가 오고 갔지만 구조는 여전히 네가 영향력 있게 주도

하는 반면, 나는 누군가에게 영향받았다. 많은 시간이 흘렀음에도 구조가 변치 않은 건데, 그동안 이 익숙함이 무척 그리웠다. 이유로 잠깐일 수 있는 당시 반 시간 남짓의 시간은 마치 지난 7년을 보상받는 기분이었다.

시간이 흘러서 드디어 버스는 왔었지만, 세상은 반 시간 남짓의 시간으로는 지난 7년의 보상이 부족한 걸 얘기했다. 버스 정류장에 찰나의 보상으로 끝날 줄만 알았던 시간이 버스를 내린 순간까지 이어졌다. 우리 집에서 약 50m 정도 떨어진 거리의 너의 집에서야 보상은 끝났지만, 불과 몇 시간 남짓의 만남이 혼자서 한동안 계속되어 웃다 밤을 지새울 뻔했다. 고생 끝에 행복을 만끽한 거였는데, 생각과 다르게 행복은 이후에도 한참 동안 끝나지 않았다.

시간이 흘러서 벚꽃이 지고 장미가 필 무렵이 됐었지만, 여전히 행복이 끝나지 않아 좀처럼 웃음을 멈출 수 없었다. 원인은 역시 동아리로, 종교 동아리이나 생각과 다르게 대학교 색이 짙어 다들 놀 때는 정말 잘 놀았다. 오죽하면 어느 날엔 동아리 활동에 성경 대신 숙취해소제를 들고 갈 정도였는데, 덕분에 자연히 사람들과 친해지며 나날이 행복의 사진첩을 겹겹이 쌓아갔다.

감히 이런 호사를 누려도 될지 모를 정도로 매일 행복했었지만, 내가 행복한 만큼 너는 매 순간이 바빴다. 고작 스물한 살밖에 안 된 너였으나 아르바이트나 자격증 취득 등으로 내가 항상 술잔을 기울일 때 너는 항상 펜촉을 기울였다.

"오늘도 설화 안 와?"

"또? 너무 바쁜 거 아니야?"

"그래도 항상 웃는 거 보면 행복해 보이지 않아?"

"…"

사람들은 네가 항상 웃음을 지어서 "바쁘나 행복해 보인다."라고 얘기했지만, 적어도 내 눈에서만큼은 아니었다. 옛날부터, 그리고 당시에도 너는 여전히 힘듦을 속으로 삼길 때마다 한쪽 입꼬리만 미소를 짓고 있었다.

네가 힘듦을 감춘 채 애써 미소 짓는 게 보일수록, 빈도가 잦아질수록 행복한 데 행복하지 않았다. 너만을 오래전부터 사랑하고 좋아한 사람이라 행복한 데 행복할 수 없었다. 하지만 너와 나는 친구 그 이상과 그 이하조차 아니었다. 이유로 단둘이 있을 때만 슬쩍 괜찮냐 물어보는 그 이상과 그 이하, 축제 날에 혼자 버스를 탄 뒤 정문으로 향할 때 인사를 건넸던 그 이상과 그 이하는 할 수 없었다.

장미가 활짝 핀 봄에도 상황은 달라지지 않았다. 오히려 여름과 가까워지며 장미가 절정에 달할수록 내 속은 너의 생각으로 점점 더 썩어 문드러져 갔는데, 도무지 해결 방법은 보이지 않았다. 속병 말고는 정말 이 난관을 타개할 방법이 안 보였지만, 너의 눈엔 내 힘듦이 보이지 않은 건지 애써 웃을 때마다 곧 장난스레 반응했다.

장미가 시들 무렵, 드디어 나까지 생기를 잃기 시작했다. 누군가 툭 치면 으스러질 정도로 변했는데, 나의 처지를 아는 건지 도로에 백일홍이 하나둘씩 나와 내게 위로를 건넸다. 하루가 지날수록 더 진한 위로를 건넸지만, 백일홍이 피어날수록 나는 오히려 사랑을 외쳤다.

그러나 사랑을 외쳐도 홀로 외친 메아리라 여전히 내 목소리만 들려왔다. 너의 솔직한 답변을 기다려도 들려오지가 않았던 건데, 기다린 끝에 지쳐 훌쩍 어디론가 떠나고 싶었다. 다녀오면 생각이 어느 정도는 정리되지 않을까 싶었고, 잠시나마 멀어질 때 감정이 어느 정도는 정리되지 않을까 싶었다. 때마침 학교 공지에 '해외학술탐방'이란 게시글이 올라왔다. 9박 10일 동안에 50만 원만 내면 나머지는 보조금을 통해 중국으로 다녀올 수 있는 거였는데, 글을 보자마자 망설임 없이 곧장 신청했다.

다행히 글 쓰는데 재주가 있어 이후 1차 서류 심사를 통과했고 2차 면접만 남겼다. 글 쓰는 거와 비교하면 말하는 데 재주는 썩 좋은 편이 아니라 많은 연습을 하고 면접 장소에 갔는데, 약 20m 남짓의 거리이나 익숙한 얼굴, 익숙한 모습으로 익숙한 사람이 한 명 있었다. 그 사람을 마주하는 순간, 나는 또다시 얼어붙었다.

"야! 김민재!"

"… 왜 여기 있어?"

"해외학술탐방 신청했으니까 여기 있겠지? 너도 해외학술탐방 신청한 거야? 잘됐다! 반드시 둘 다 붙자!"

복잡한 생각이 머릿속에 꽉 박혀, 복잡한 감정이 가슴 속에 꽉 잡혀 잠시나마 떠나려고 했던 장소에도 네가 있었다. 신은 결국에 소크라테스가 델포이 신탁을 받아들인 거처럼 너와의 운명을 받아들이라 얘기했다. 그렇게 2016년 6월 3일, 무수히 많은 백일홍이 기도하는 거리에서 해외학술탐방 합격 문자를 받으며 신탁은 내게 기정사실이 됐다.

제4화 낯선 이국에서 등나무의 환영

엊그제 복학했는데 벌써 한 학기가 지났다. 다행히 학점에 꽃이 피지 않았으나 사과도 수확하지 못했고, 비를 빌며 씨를 뿌리는 데 그쳤다. 젠장, 정말 환경이 중요한 게 속삭임에 이끌려서 한 학기 동안 펜보다 술잔을 훨씬 더 많이 들었다. 덕분에 처음 계절학기를 듣게 됐는데, 빌어먹을 동기들은 다행히 각자의 사정으로 대부분 수강하지 않아 중간고사가 끝날 때까지 선방할 수 있었다.

"민재 오빠!"

"어? 어… 왔어?"

"오늘 강의 정리 다 했죠? 한 번 보여줘요!"

"얘 좀 봐라? 당연하게 내 거를 자기 거처럼 보여달라 하네?"

"아, 왜요? 사랑하는 동기를 위해 이 정도도 못 보여주나?"

"그놈의 동기… 자! 여기요, 동기님!"

계절학기에는 좋은 학점을 받아야 하므로 철옹성같이 웬만하면 흔들리지 않았다. 하지만 눈물보다 더 맑은 청아한 목소리를 가진 사람이 나를 부를 때, 어느새 허리까지 자란 긴 생머리를 휘날린 사람이 내게 다가올 때마다 매번 흔들렸다. 유명진, 그녀에 의해서 흔들리다 못해 무너질 뻔했다.

나는 유명진과 같은 계절학기를 듣게 됐다. 학기가 끝나고 겨우 멀어지나 싶었는데 이번에는 단둘이서 강의라니… 애써 그녀와의 일을 모르는 척하며 학기 내내 지냈지만, 계절학기엔 일주일 내내 함께하게 됐다.

"저녁에 뭐 먹을까요?"

"글쎄? 아니, 그보다 주말인데 학교에 왜 나온 거야? 노원에도 도서관 있지 않아?"

"학교 도서관이 공부 잘되니까 오죠! 그보다도 저녁에 어떤 거 먹을 거예요?"

3주 만에 몰아 듣는 계절학기 특성상 하루도 빠짐없이 공부해야 하므로, 유명진은 강의가 끝난 뒤 바로 집에 가는 대신 도서관에 남아 나와 함께 공부했다. 심지어 주말까지 굳이 먼 학교에 와서 나와 함께 공부했는데, 차라리 이유를 몰랐으면 편했건만 이유를 알아 괜히 어색했다.

어색하지 않은 척 연기하니까 정말 힘들었는데, 진작에 고백을 거절할 걸 다짐한 뒤 거절했으면 이처럼 어색한 상황까지 오지는 않았을 거다. 하지만 거절을 얘기할 때만 되면 그녀는 먼저 얘기를 가로챈 뒤, 다른 주제로 나를 이끌며 결국 고백을 거절하지 못하게 만들었다.

그녀가 애써 괜찮은 척을 하는 중인 건지, 아니면 가슴 치레하며 최대한 감정을 숨기는 중인 건지 도통 감을 잡을 수 없었다. 고백한 뒤에도 그녀는 여전히 똑같은 모습만 보인 채 장난을 쳐 내가 도저히 그녀의 의중을 알 수 없게 만들었다.

차라리 알고 지낸 지가 얼마 안 된 사이라면 편했을 거다. 이번 학기에 우연히 만나서 우연히 호감이 생긴 사이라면 속 시원하게 고백을 거절할 수 있었을 거다. 그러나 유명진과 나는 벌써 알고 지낸 지가 3년이 훌쩍 넘은 막역지우였다. 심지어 나의 첫사랑과 오작교 역할을 자처했던 그녀였는데, 대체 왜 고백을 한 건지 내 머리로는 설명이 안 됐다. 열 길 물속은 알아도 한 길 사람 속은 모른다고, 그녀가 고백할 거라곤 전혀 상상조차 못 했다.

매일 고백한 이유를 생각하니까 어느 순간 2019년 7월의 달력에 X자가 열 개 칠해졌다. 드디어 기말고사가 끝이 나며 진짜 종강을 맞이했던 건데, 지긋지긋한 공부의 굴레에서 한동안은 벗어날 수 있어 속이 후련했다. 무엇보다 유명진과 멀어지며 어색함의 굴레에 또한 한동안 벗어날 수 있어서 마음이 한결 편해졌다.

"끝났어요?"

"어? 왜 집에 안 갔어!?"

"오빠랑 같이 가려고 기다렸죠!"

"아니, 하… 뭐, 기왕 기다릴 거면 다른 데에서 기다리면 되지 왜 습기 가득 찬 복도에서 기다려?"

"오빠가 어디 갈 줄 알고 다른 데에서 기다려요? 아무튼, 이제 시험 끝났으니까 술이나 마시러 가요!"

하지만 발걸음이 채 열 걸음도 가시기 전, 내가 한 생각이 오산임을 깨달았다. 강의실 문 바로 앞에서 유명진이 기다리고 있었던 건데, 한참 전에 먼저 강의실 밖에 나가 당연히 집에 간 줄 알았다. 그러나 날씨가 30도에 육박한 건 둘째치더라도 비까지 내려 습한 복도, 심지어 창문조차도 없어 고스란히 습기로 가득 찬 복도에서 송골송골 땀이 맺힌 채 나를 기다리고 있었다.

고등학교 때처럼 같이 시험이 끝난 게 아니었고, 비까지 내려서 복도에 습기가 가득 찬 탓에 체감상 오랜 시간을 기다렸을 거였다. 카페, 도서관, 하다못해 빈 강의실에서 에어컨을 켜놓고 기다렸으면 분명히 조금 더 편하게 기다릴 수 있었을 거다. 하지만 그녀에게 이런 계산 따위는 안중에도 없었고, 무모하나 한편으로 그녀답게 솔직한 정공법을 사용했다.

처세술에 능치 않은 모습에 답답하나 그보다는 미안함으로 목이 막혀 손쉽게 말이 나오지 않았다. 기다리게 한 거 같아 당황스러움이 곧 미안함으로 바뀐 거였는데, 웃음기 많던 그녀의 얼굴은 변치 않은 채 계속 웃는 중이었다.

"비가 계속 내리네? 편의점도 닫혔고….."

"같이 우산 쓰고 가면 되지 않아?"

"긴 우산도 아닌데 괜찮아요?"

"뭐, 어때? 가자!"

기말고사의 시작과 동시에 내린 비는 기말고사가 끝났으나 되레 더 거세지고 있었다. 기다리는 게 의미 없는 걸 누가 봐도 알 정도라 지체하지 않고 바로 거리로 나선 건데, 걷다 보니 그녀와 불과 5cm 남짓 안 된 간격에 있는 게 인식되기 시작했다.

하염없이 내린 비로 흐릿한 세상에 그녀만 선명히 인식되기 시작했는데, 그녀 또한 나만 인식된 건지 미소를 머금고 있었으나 사뭇 어색했다. 숨결 또한 자연스럽지 못해 나중엔 혼자 헛기침만 계속했지만, 그제야 나는 그녀의 의중을 알게 되며 나도 모르게 미소를 머금게 됐다.

"왜 웃어요?"

"그냥… 좀 귀여워서?"

"뭐, 뭐가 귀여운 데요?"

"비밀!"

"이 씨… 짜증 나!"

나이가 들수록 누군가에게 솔직한 게 어렵지만, 그녀는 정말로 솔직했다. 다섯 살짜리 아이조차 그녀보다 더 솔직하지 못할 정도였는데, 그런 그녀를 보며 어느 순간 미안함이 웃음으로 바뀌었다. 제각각 자유로이 움직이던 발걸음도 걸을수록 나란히 발을 맞추기 시작했는데, 발걸음을 옮길수록 마음의 계절이 다채롭게 변해갔다. 눈의 꽃에 흔적이 점점 희미해져 간 거였다.

젖은 왼쪽 어깨 너머로 핀 등나무가 내 표정을 보고서는 우리를 연인으로 오해했던 건지 활짝 만개하며 우리 둘을 환영했다. 너와 연인이 된 이후에 처음 받는 환영, 어색할 법도 하나 오히려 감사했다. 등나무의 환영으로 고백을 받아들일 다짐을 하게 돼서, 다시 온전하게 사랑을 줄 수도 있겠다는 걸 알게 되면서 감사할 수밖에 없었다. 그렇게 등나무의 환영 속, 그녀는 내 마음속에서 새롭게 '너'로 변해갔다.

*

2016년 7월 1일, 한 해의 시작보다 끝과 가까워지기 시작했다. 마침내 운명의 주사위가 중국에 던져진 건데, **지금 생각하면 나도 너처럼 처음부터 모든 걸 알고 있는데 일부러 모르는 척하며 너를 붙잡은 게 아닌가 싶다.** 그러나 당시 나는 이런 사실을 전혀 생각지도 않은 채 비행기에 몸을 실었다.

한 시간이 조금 더 넘은 무렵, 마침내 운명의 중국에 도착했다. 확실히 너는 네가 영향력 있게 주도하는 반면에 나는 누군가에게 영향받는 구조였는데, 다른 조가 된 우리에게서 이 모습은 정말 잘 드러났다. 너는 처음부터 사람들과 왁자지껄 떠든 반면, 나는 인사 그 이상, 그 이하를 일절 하지 않았다. 쓸데없이 감정을 소모하는 게 싫었던 걸까? 아니면 다른 사람들에게 시샘이 났었던 걸까? 확실한 건 괜한 자존심으로 너뿐만 아니라 사람들에게 먼저 다가가지 않았다.

"야! 김민재! 잘 따라오고 있냐?"

"어."

"어… 그래, 무슨 일 있으면 누나한테 말하고?"

"그래."

홀로 있는 나에게 너는 항상 먼저 다가왔지만, 괜한 자존심으로 퉁명스레 대꾸하며 대화를 피했다. 다른 사람들이 볼 때 네가 민망할 정도로 여러 차례 대화를 피했는데, 너는 내가 대화를 끊을 때마다 애써 한쪽 입꼬리에만 미소를 지은 채 자리를 떠나줬다.

"무슨 일 있어요?"

"왜?"

"아니, 언니가 계속 말 거는데 무안하게 만들잖아요? 좀…"

"무슨 상관인데? … 걱정해준 건 고마운데, 무슨 일 없고 기분이 안 좋은 거니까 신경 안 써도 돼. 미안."

보다 못한 유명진이 결국 내게 이유를 물었는데, 탐방에서 처음 안 그녀에게도 내가 퉁명스러워 보인 거였다. 그러나 당시에 솔직하지 못했던 나는 애써 이유를 둘러대며 대답하는 거를 피했지만, 피하는 거도 하루 이틀이었다. 가뜩이나 심적으로 지쳤는데 낯선 이국에 홀로 다니니까 더 지쳐갔다. 특히 네게 낯선 남자들이 찝쩍거릴 때마다 괜한 불안감으로 날밤을 고스란히 밝혔다.

정말 쓰러지기 일보 직전까지 갔는데, 이대로 가면 죽겠다 싶어 마침내 유명진에게 너를 좋아하는 걸 솔직하게 고백했다. 처음 본 사람에게 고백하는 건 정말 힘들었지만, 당시에 나는 당장에라도 죽을 거만 같았고 네게 내 진심과 다르게 표현하며 상처를 주는 걸 더는 하고 싶지 않았다.

나는 많은 용기를 내서 고백했지만, 그녀는 아무 말 없이 숙소로 들어갔다. 예상치 못한 반응에 순간 당황했으나 솔직하게 고백하며 가슴 속 응어리는 조금이나마 풀렸었다. 무거운 마음이 한결 가벼워진 건데, 나도 숙소로 곧장 들어가서 운동복만 갈아입은 채 다시 나왔다. 뛰다 보면 한결 나아진 마음이 더 나아질까 싶어서 거리에 나간 거였다. 숙소에서 멀어지며 정말 너의 생각에서 잠시 벗어난 채로 들숨과 날숨에만 집중하게 됐는데, 아무 말 없이 숙소로 들어갔던 그녀에게 연락이 왔다.

"오빠, 어디에요?"

"나 지금…"

핸드폰 자판을 입력하는데 문득, 탐방 도중 절대로 혼자서 돌아다니지 말 것을 학생팀에서 얘기한 게 생각났다. 순간 주춤했지만, 숙소 헬스장에서 운동 중이라며 그럴싸하게 둘러댔다.

"언니랑 지금 나갈 테니까 숙소 앞으로 나와요."

"어?"

제멋대로 숙소로 들어갔었던 그녀는 제멋대로 통보 후에 연락을 끊었다. 지금이야 그녀가 도대체 왜 제멋대로 굴었던 건지 이유를 아나 당시 나는 통보를 받자마자 절정에 이른 심박수가 덜컥 내려앉았다. 하지만 나에게 있어서 답은 이미 하나였고, 거리로 나올 때보다 더 빠른 속력으로 심박수를 올려 숙소로 향했다.

다시 숙소에 가까워질수록 네 생각만 났다. 중간에 파인 홈에 걸려 넘어지며 무릎에 피가 제법 흥건히 났었지만, 주저할 틈이란 없었다. 일어나자마자 순간 짜릿 통증이 올 정도였으나 이내 숨을 가다듬은 뒤, 다시 뛰기 시작했고 숙소 앞에 도착한 뒤에야 겨우 주저앉을 수 있었다.

"운동하고 왔어?"

"어? 어… 러닝머신 좀 뛰었지."

"대단하네, 나는 숙소에 돌아오면 항상 피곤해 죽겠던데?"

"… 고마워."

"별 칭찬도 아닌데 무슨 고마워… 지금 울어?"

한참 숨을 고르는 도중, 얼마 안 가 너와 유명진이 나왔다. 너는 나를 보자마자 학교에서 다시 만난 날처럼 호기심에 가득 찬 눈빛으로 내게 질문을 건넸다. 변치 않은 네 모습을 보자 나도 모르게 눈물이 나왔는데, 탐방 내내 곁에 있었지만 보고 싶어, 탐방 내내 퉁명스레 대한 게 미안해 눈물이 나왔다. 하지만 분위기를 초치기 싫어 애써 땀인 척 눈물을 닦으며 미소를 띠었는데, 그제야 너도 이전에 너의 꽃집에서 지은 미소처럼 해맑게 웃었다.

자연스럽게 장소가 근처 식당으로 옮겨졌다. 식당이라 얘기하기에는 변변치 않은 야외 테이블부터 메뉴도 대여섯 개 정도였지만, 너와 함께라면 아무렴 상관없었다.

"우리!"

"영원하자!"

그럴듯하나 하룻밤에 술자리 유흥 정도의 건배사로 드디어 술자리가 시작됐다. 오고 가는 길에 봤던 식당이고 한국에서도 비슷한 곳들을 수두룩하게 갔지만, 처음 야외 테이블에서 술을 마신 기분이었다. 애써 태연한 척했으나 두근거린 마음을 좀처럼 진정시킬 수 없었는데, 꽤 흔한 식당이라도 그 자리에 네가 있어서 설렘을 감출 수 없었다.

"술도 어느 정도 마셨는데, 우리 진실 게임 할까요?"

"진실 게임?"

"자! 언니부터 물어볼게요? 지금 좋아하는 사람 있다? 없다?"

"아직 할 거라고 얘기조차 하지 않았는데, 갑자기 훅 들어오는 거 아니야?"

"삼 초 안에 대답 못 하면 맥주 한 병 원샷! 삼, 이…"

미적지근한 맥주를 얼굴이 불타오를 때까지 마신 무렵, 유명진은 자연스레 너의 마음을 알 수 있도록 대화를 이끌었다. 나는 태연한 척 웃음을 머금고 맥주를 한 모금 들이켰지만, 실은 속이 타들어 가는 중이라 맥주를 마시지 않고서는 자리를 못 버틸 거만 같았다.

분명히 삼 초 남짓이었다. 하지만 심장은 삼 초 남짓에 분당 180 회의 속력으로 뛰었고, 일 초마다 장편에 영화가 한 편씩 재생된 기분이었다. 세 편의 영화가 클라이맥스에 이를 무렵에서야 네 입 모양에서 변화가 시작됐는데, 너의 말을 듣자 심장은 뛰는 속력을 분당 70회로 줄였다.

"있었지?"

"과거형이네요? 그렇다면, 지금은 없는 거예요?"

"음…"

"삼, 이…"

"아, 알았어! 대답할게, 대답!"

심장 뛰는 속력이 줄며 대신에 머리가 빠르게 돌기 시작했지만, 동시에 불안감도 빨리 커졌다. 마치 판사의 선고를 기다리는 피의 자가 된 기분에 찰나가 일 겁처럼 느껴졌는데, 잠시 머뭇거린 너는 이내 결심이라도 한 듯 한숨을 내쉬더니 곧 대답을 시작했다.

"알다시피 내가 워낙 바쁘잖아? 아르바이트, 자격증 등… 할 게 정말 많아. **당연히 연애는 사치가 아닐까?**"

"아… 그럼, 좋아하는 사람에게 마음은 더 없어요?"

"마음을 가진다 한들 무슨 소용이 있을까? 설령 그 사람이 나를 좋아한다고 한들 내가 여유가 없어 못 사귈 거 같아. **내 몸 하나 건사하는 거조차 힘든데, 하나 아닌 둘이 되면 절대로 못 버티지 않을까?**"

불안한 예감은 틀리지 않았다. 네 입 모양의 끝에서 마침내 나는 사형을 선고받은 거였다. 애써 미소를 지은 채 화답하려 했으나 입꼬리가 올라갈수록 눈꼬리가 눈물샘을 찌르기 시작했다. 시큰하다 못해 아플 정도여서 결국 담배를 피울 것을 핑계로 도망치다시피 자리를 피했다.

한참 걸어 어느 인적 드문 골목 사잇길로 피한 뒤, 쓰러지다시피 주저앉아 담배에 불을 붙였다. 하나, 둘, 끝내 셀 수 없을 때까지 담배에 불을 붙였지만, 담배는 스스로 탔을 뿐이었다. 계속 맵싸한 연기가 눈을 찔러 도저히 입에 댈 수 없는 거였는데, 연기는 끝내 눈물이 나오는 걸 보고 나서야 자리를 피했다. 하지만 연기가 없는 그 자리에서도 나의 눈물은 멈추지 않았다. 사라지는 연기와 같이 너를 잡을 수 없어, 잡으려고 할수록 너는 사라질 것이 분명하여 눈물을 멈출 수 없었다.

눈물샘이 건조하다 못해 메마른 뒤에야 겨우 눈물이 멈춰 자리로 돌아갔지만, 너와 유명진은 연기와 같이 사라진 지 오래였다. 내가 꽤 오랜 시간 동안 자리를 비워 먼저 숙소로 돌아간 줄 알고 간 거 같았지만, 서운함보다 오히려 안도감을 느꼈다. 너를 보면 걷잡을 수 없이 눈물만 흐를 거 같아, 우는 내 모습을 보고 너는 홀로 있는 장소에서 굳은 표정으로 한숨만 쉴 거 같아 어쩌면 다행일지도 모른다는 생각뿐이었다. 그러나 머리는 괜찮다고 얘기하나 이후에 마음은 그렇지 못했는데, 네가 다가올 때마다 나도 모르게 일부러 자리를 피했다.

너를 보면 눈물이 날 거만 같아 자리를 피한 게 아니었다. 너를 보면 괜한 심술로 상처를 줄 거만 같아 자리를 피한 게 아니었다. 너를 보면 너의 따뜻함이 또다시 간절할 거 같아서, 그 따뜻함을 영원히 느끼고 싶을 거만 같아서 자리를 피했다.

몇 날 며칠을 그렇게 너와 어긋나는 걸 선택했지만, 생각과 다르게 한동안은 괜찮았다. 사람은 적응의 동물이라고 어느새 낯선 이 땅에 적응한 건지 한동안 먹지도 못한 현지 음식이 입맛에 맞았고, 인사 외에는 말조차 섞지 않았던 사람들과도 자연스레 대화를 시작했다. 단지 내가 살았던 하루가 조금 길게 느껴졌고 한숨만 부쩍 늘었을 뿐이었다.

유명진은 이런 나를 지켜보며 아직은 완벽히 끝난 게 아니니까 조금이라도 여지를 남겨두라 했었다. 하지만 이미 너에게 연애가 사치라는 말을 들은 순간부터 나는 연인은 물론, 친구조차 되는 걸 포기했다. 칠 년 동안 노력해도 안 되는 거면 분명히 신의 뜻이라 믿었다. 무엇보다도 내가 지쳤다.

탐방은 너와의 거리를 둔 채로 마무리될 것만 같았다. 그렇지만 유명진이 한 말처럼 끝날 때까지 끝난 게 아니었다. 운명의 여신이 그제야 꼬였던 실을 완전히 다 풀었다.

상해로 이동할 때였다. 한참 수속을 밟는 도중, 네가 내 앞에 서 있었다. 다행히 서로 정신이 없었던 만큼 대화를 나누지 않았는데, 갑자기 공안이 너를 붙잡고는 통과시키지 않았다. 너는 공안과 대화를 나눴지만, 하필 지린성 공항에 공안은 영어를 못했고 너는 중국어를 못했다. 가이드는 이미 수속을 밟은 채 안으로 들어가 있던 상황, 네 뒤에는 나와 유명진뿐이었다.

"이번이 기회에요!"

"어?"

"빨리 가요!"

솔직히 당황하는 너를 봐도 돕고 싶진 않았다. 마땅히 누구 하나 너를 도울 사람은 없었지만, 이제 남보다 못한 사이라고 생각하며 애써 너를 못 본 척했다. 하지만 유명진은 이번이 기회라며 나의 등을 떠밀었고, 나는 한숨을 한 번 크게 내쉰 뒤 네 앞으로 가서 공안과 대화를 나눴다.

대화는 중국어를 고등학교 때만 배운 만큼 초보적인 수준에 불과했다. 그러나 우리에게는 세계적으로 사용되는 그림이라는 수단이 있었고, 다행히 중국 공안이 짐에 문제 되는 게 있으므로 본인을 따라오라 얘기한 걸 이해할 수 있었다. 내용만을 전달한 채 다시 뒤로 와 나의 수속을 밟았지만, 공안이 나에게도 노란 딱지(검사 대상)를 붙이며 검사 장소로 데리고 갔다.

나는 너를 돕는 역할을 위해 데려간 만큼 별도로 짐을 검사하지 않았다. 대신 너는 짐에 문제 되는 게 있었으므로 별도의 검사를 했는데, 순간 너무 놀란 나머지 망부석과 같이 자리에 굳어버렸다. 생전 보지도 못한 전자담배가 있던 거로, 그동안 네가 담배를 피운 걸 전혀 보지 못했던 만큼 순간 당황할 수밖에 없었다. 그렇지만 너는 공안이 전자담배를 기내에 들고 탑승하면 해결된 걸 알려주자마자 아무렇지 않게 전자담배를 손에 든 뒤 밖으로 나갔다.

상상조차 하지 못한 상황에 순간 얼어붙었지만, 다 큰 성인이고 나 또한 흡연자인 만큼 크게 개의치는 않아서 이내 정신을 차리고 수속을 마쳤다. 그러나 몇몇 사람들은 그렇지 못했는데, 네가 애써 차분한 척했으나 사실은 너무 당황한 상태였다. 손에 그대로 전자담배를 든 채 사람들이 모인 게이트로 향했던 거로, 사람들은 머지않아 네 손에 든 전자담배를 발견하며 질문을 쏟아붓기 시작했다.

"손에 전자담배 아니야?"

"진짜? 설화, 담배 피워?"

"네? 아, 이게…"

"에이, 다 큰 성인이 담배 피울 수도 있지! 안 그래?"

"맞아! 근데, 의외이다? 단 한 번도 담배를 피우는 걸 못 봤는데. 언제부터 피운 거야?"

"제 거에요."

이리들에게 포위됐던 너를 보자마자 무슨 생각에서인지 나는 내 것이라고, 네게 맡겼는데 장난치느라 그대로 들고 갔다 얘기하며 너를 변호했다. 질문하던 사람들은 이내 웃으며 자리로 돌아갔지만, 돌아서자마자 변하는 낯빛까지 숨기지는 못했다. 그렇지만 아무렴 상관없었다. 물론 네게도 마찬가지였는데, 때로 모르는 척하는 게 약이었다. 순간 네가 신경 쓰였고 정말로 흡연하는지 궁금했지만, 질문 자체가 실례될 수 있었다. 무엇보다 당시 연인조차 아닌 내가 괜한 질문으로 자칫 실례를 범할 때, 정말로 남보다 못한 사이가 될 수 있어 비행기가 올 때까지 다시 너와의 거리를 유지했다.

한바탕 소동이 있고 난 뒤 머지않아 비행기가 도착했는데, 바로 내 옆자리에 네가 앉아 있었다. 생각지도 못한 상황으로 잠시 주춤했지만, 곧 태연한 척하며 자리에 앉은 뒤 멍하니 창밖만 응시했다. 앞선 소동으로 당황했을 법한 네게 내가 할 수 있는 최소한의 배려였는데, 너는 내 배려가 무색하게 방금까지 나를 흔들어 놓고 이때에도 먼저 나를 흔들었다.

"자?"

"… 아니."

"아까 정말 고마웠어. 사람들에게 질문 세례를 받았을 때도, 공안한테 당황했을 때도 정말 고마웠어."

"별일도 아닌데… 뭐, 그것보다 괜찮아?"

"응… 아니, 사실 안 괜찮아."

순간 자는 척을 하며 대답하지 말까 고민하지 않은 건 아니었다. 하지만 너무 피하는 거 같았고, 이대로 가면 정말로 남보다 못한 사이가 될 거 같아서 고민한 끝에 대답한 거였는데, 이 대답은 곧 우리가 처음으로 서로에게 솔직한 대화를 나눈 시간이 됐다.

시작은 가볍게 네가 흡연하는 사실을 내게 털어놓은 거로, 우연이란 건 생각보다 너와 나의 많은 부분을 차지했다. 흡연을 시작한 게 나와 마찬가지로 스무 살, 심지어 6월이라는 날짜까지 똑같았다.

비록 너는 종강 후, 나는 6월 모의고사 후에 시작하며 아주 똑같진 않았지만, 너는 등록금에 대한 부담, 나는 현재의 대학교 진학에 대한 걱정, 결국엔 둘 다 받아들이기 힘든 현실로 시작하며 사실상 시작한 이유조차 같았다. 이처럼 하나의 우연을 마주쳤던 순간에 우리라는 화원에는 우연이란 꽃들이 하나둘씩 피어가기 시작했다.

벚꽃, 장미 등 개화를 바라는 꽃도 많으나 개화를 바라지 않는 꽃도 많다. 너와 내가 한참 다채롭게 화원을 꾸밀 찰나, 마침내 네가 개화를 바라지 않는 꽃을 피우고자 솔직함을 뿌렸다. 물론 네가 솔직하게 나와도 내가 솔직하지 않게 나올 때면 끝이었다. 하지만 당시의 나는 꽃내음에 취해 있었다.

"대체 나를 왜 피했던 거야?"

"… 정말 몰라서 묻는 거야?"

"…"

"알잖아, 내가 너 좋아하는 거. 사실, 여기까지 온 데 있어 네가 없던 적은 없었어. 대학부터 학과, 심지어 공부를 시작하게 된 계기까지, 너를 만난 이후 내 인생에 네가 없던 적은 없었어. 물론, 못 믿을 수도 있고 한순간 호감을 사랑과 착각한 거 아니냐 의심할 수 있겠지. 하지만 하나 확실한 건 지금 내 사랑에 의미는 오직 너뿐이고 다른 수식어를 덧대 봐도 마찬가지야. … 미안, 뻔히 네 사정 알면서 내 멋대로 좋아해서. 미안, 칠 년 전에 내 진심과 다르게 다른 의미로 너에게 노란 장미를 건네서. 미안, 칠 년 전에 좋아한다 고백을 이제 해서. … **사랑해.**"

취기, 사실 그보다는 절실함으로 나도 모르게 너처럼 솔직함을 뿌렸다. 말하는 동안 네가 미소조차 짓지 않은 거를 보게 됐으나 상관없었다. 비행기에 내린 뒤 우리의 관계가 변할지도 몰랐지만 정말 상관없었다. 예의, 자존심 등의 변명은 집어치우고 그저 사랑하고 있었던 나의 진심만을 너에게 말해주고 싶었다.

얘기가 끝난 뒤에도 나는 너를 한참 쳐다봤다. 내 얼굴이 비칠 정도로 맑은 네 눈동자부터 오뚝한 콧날과 다르게 작은 콧방울, 그 콧방울보다 조금 더 긴 입술에 바른 러시안 레드 립스틱까지, 나는 이번만큼은 피하지 않은 채 너만을 바라봤다. 난기류에 흔들리는 기체에도 아랑곳하지 않고 너만을 쳐다봤는데, 마침내 네 입 모양에서 변화가 시작됐다. 하지만 첫 문장부터 너는 나를 흔들며 끝내 그 자리에서 굳어버리게 하였다.

"… **나는 꿈보다 돈이 먼저야.** 웃긴 사실 하나 알려줄까? 꿈을 이루기 위해 간신히 대학에 들어왔는데 정작 오자마자 입학금부터 등록금, 생활비까지 돈 걱정만 하게 되더라? 가끔 내가 학생인지 아니면 직장인인지 헷갈릴 때도 있다?"

너는 담담히 얘기를 이어갔지만, 그 끝에서 떨리는 목소리마저 감출 수는 없었다. 체념하나 체념하지 못한 건지, 아니면 자신의 치부를 드러내는 게 부끄러운 건지 모르겠지만, 확실한 건 그날 처음으로 네가 나보다 먼저 눈을 피했다.

솔직함을 한 번씩 번갈아 뿌린 너와 나는 끝내 화원 꾸미는 걸 멈췄다. 네가 붉어지는 눈시울까지 주체할 수 없었던 건지 얘기 중 그만 자리를 나간 거였다. 그렇게 나는 화원 꾸미기가 끝난 줄만 알았고, 다시 고개를 창문으로 돌린 채 멍하니 창밖만을 응시했다.

너는 상해 상공에 도착하는 안내 방송이 나온 뒤에야 다시 자리로 돌아왔는데, 나는 그대로 창밖만을 응시했다.

"… 그래도 너를 다시 만난 순간, 옛 생각이 떠오르며 다시 꿈이 떠올랐어. 너에게 얘기했던 거처럼 꽃집을 차리는 꿈, 그 꽃집에서 오순도순 꽃들과 다채로운 세상을 꾸미는 꿈을 다시 떠올릴 수 있었어. … 행복했어, 다시 꿈을 떠올려서."

드디어 진정됐는지 너는 말을 다시 차분히 이어 나갔는데 문득, 이대로 끝내는 거보다는 서로 웃으며 끝낼 때 정말 아름다운 기억으로 남을 거 같았다. 이에 고개를 돌리며 너에게 감사의 인사를 전할 찰나, 너의 마지막 말이 나의 고개를 붙잡았다.

"행복했어, 다시 내 첫사랑을 만나서."

너의 고백을 끝으로 그다음 날 아침까지 기억은 이제 선명하지 않다. 하지만 분명한 건 당시 개운치 못한 아침을 맞이했고, 일어나자마자 시간을 확인했을 때는 일정 시작까지 불과 한 시간도 채 안 남은 상태였다.

몽롱한 정신을 가다듬고자 일어난 뒤 담배를 피우러 나갔을 때, 호텔 로비에서 너를 마주쳤었다. 반갑게 인사하는 유명진과 달리 너는 나를 그대로 지나쳤는데, 예상치 못한 반응에 당황하며 너를 쫓아가던 유명진과 다르게 나는 웃은 채 밖으로 나갔다. 영락없이 솔직한 모습에 웃을 수밖에 없던 거였는데, 나를 지나칠 때 흔들리는 눈빛부터 굳게 다문 입술까지, 아직 마음이 남은 게 누가 봐도 분명했다. 마지막을 말하기에 아직 시간이 남은 걸 알 수 있었고, 구름 한 점 없이 맑은 하늘이 행운을 점지한 기분이었다.

일어날 때와 다르게 상쾌한 기분에 담배를 꼬나문 채 콧노래를 흥얼거렸는데, 시간까지 점지받지 못했던 사실은 그만 잊어버렸다. 담배를 한 대 피우려는 찰나에 누군가가 뒤에서 등을 툭툭 쳤다. 전혀 인기척을 느끼지 못한 탓에 깜짝 놀라 황급히 뒤돌아봤는데, 아까 로비에서 마주친 검은 모자를 푹 눌러 쓴 사람이 있었다.

"따라와."

너는 딱 한마디, 그것도 너답지 않은 한마디를 하며 나를 끌고 갔었다. 옛날 초등학교 때와 같이 나는 맥없이 끌려가며 호텔 뒤에 도달했었다. 처음 몇 초 동안은 네가 뜸을 들여 괜한 불안감으로 피가 거꾸로 흐르는 기분까지 들었다. 하지만 너의 입 모양에서 변화가 시작된 순간, 그 끝에서는 예상밖에 말로 도저히 웃음을 참을 수가 없었다.

"나 담배 한 개비만."

"… 너 전자담배 있잖아?"

"고장 났어."

"아?"

지금까지 수많은 예상치 못한 상황이 있었지만, 그때만큼 정말 예상치 못한 상황은 사는 동안 거의 없었다. 너무 예상치도 못한 상황이라 끝내는 끅끅 웃음이 터져 나왔는데, 너는 "뭐가 그렇게 웃겨?", "남의 불행이 행복해?" 등 나의 웃음이 얄미운 건지 화를 내다 끝내는 나의 엉덩이를 세게 걷어찼다.

우리를 감싼 사뭇 어색한 기류는 너의 솔직함에 사라졌다. 대신 열세 살의 풋풋했던 기류가 우리를 또다시 찾아왔는데, 이때부터 너와 나는 열세 살의 그때로 돌아간 채 나란히 탐방을 시작했다.

나와 너, 그리고 유명진까지 셋은 이후부터 다른 사람들도 있었으나 개의치 않고 셋이서만 탐방에 온 거처럼 행동했다. 네가 흡연하는 사실을 나와 유명진만 아는 거도 한몫했지만, 셋이 있을 때만 우리를 고스란히 보여줄 수 있던 게 가장 큰 이유였다.

셋이서 한참을 다니다 보니 어느새 저녁으로 시간이 흐르며 메탄강 유람선에 올랐다. 나와 너, 그리고 유명진 셋은 이때 또한 마찬가지로 셋이서만 다녔는데, 배가 중간을 거치고 항구로 돌아갈 때쯤이었다. 유명진이 갑자기 화장실을 다녀올 거를 얘기하며 누가 봐도 티 나게 너를 내 쪽으로 밀고 사라졌다. 처음에는 유명진의 어이없는 행동에 말만 안 나왔지만, 어느 순간 나의 품에 가만히 안겨 있는 너를 발견하고는 행동까지도 안 나왔다.

가빠져 있는 네 숨결이 고스란히 느껴지는 상황, 괜스레 내 숨결까지 가빠지기 시작했었다. 들키지 않고자 최대한 숨을 작게 쉬는 등의 애를 썼지만, 솟구치는 내 심박수까진 어쩔 수 없었다. 그렇게 움직이는 사람들 속 우리는 반대로 사진처럼 한참 멈춰 있었는데, 네가 다시 우리의 화원 속 꽃송이를 펼치기 시작했다.

"어제, 혹시 내 말 들었어?"

"… 들었지."

분명히 평소대로라면 솔직함을 있는 그대로 절대 뿌리진 않았을 거였다. 당시 꽃내음에 취한 상황 또한 아니었지만, 그 순간만큼은 솔직함을 뿌릴 때 개화를 바라는 꽃이 필 거만 같았다. 지금이라면 절대로 안 할 선택이지만, 당시 나는 네가 간절하다 못해 절실했다.

이유로 솔직함을 모아 화살을 만든 뒤, 마침내 운명의 시위를 네게 당겼다.

"… 사랑해. 정말, 사랑해…."

너는 과녁까지의 거리가 멀었는지 한참이나 결과를 말하지 않았는데, 어느새 배가 항구에 도착해 하나둘씩 내리기 시작할 때쯤이었다. 내 품에 가만히 안겨 있던 너는 내 품을 빠져나오며 마침내 과녁의 결과를 얘기했다.

"미안… 나의 몸 하나 건사하는 거조차도 힘든데, 지금 사귀면 나뿐만 아니라 너까지 망가질 거 같아. 정말… 미안해."

이 정도면 충분히 결과를 인정한 채 포기하고 돌아갔을 법했다. 할 만큼은 다 했으므로, 안 되는 거를 억지로 하지 않았을 법했다. 하지만 너는 내게 다른 사랑과 다르게 '첫'이라는 접두사가 붙었고, 그 무게는 가히 헤아릴 수 없었다.

"… 다시 말할게. 사랑해, 정말… 사랑해."

계산 따위는 안중에도 없었던 나는 나가던 너의 손을 붙잡은 뒤 수천, 아니 수만 번 넘도록 연습한 말 대신에 나의 진심을 전했다. 화려한 말로 너를 붙잡을 수도 있었겠지만, 그때 나는 꾸며낸 연습보다는 사실 그대로를 보여주고 싶었다.

"얘기했잖아, 나뿐만이 아니라 너까지…"

"아는데! 이러는 게 구차한 거도 아는데…"

너는 재차 과녁에 적중하지 못한 걸 얘기했지만, 순간 나는 감정이 격해져 마침내 너에게 소리를 질렀고 끝내는 격양된 감정으로 눈물까지 나오기 시작했다. 말을 계속 이어 나가려고 해도 무언가목에 걸려 좀처럼 말이 나오지 않았는데, 말을 멈출 수는 없었다. 집착이라도 앞으로 내가 살려면 말을 멈출 수 없었다.

"너 사랑…"

계속 말을 이어가려던 찰나, 마침내 너는 대답하지 않았다. 대신 너는 네가 마셨던 레몬티의 달콤함을 내게 전하며 행동으로 과녁이 적중한 걸 얘기했다. 씁쓸하고 시지만 그보다는 더 달콤한 걸 은은하게 전하며 한참을 과녁이 적중한 걸 얘기했다.

우리는 그렇게 움직이던 사람들 속에 한참을 한 장의 사진으로 남아 있었는데, 저 멀리에서 등나무가 환영하고 있었다. 낯선 이국이라 비록 말은 안 통했지만, 활짝 만개하며 우리를 환영하는 건 알 수 있었다. 그 모습은 마치 이제 행복의 시간만이 남은 걸 알려주는 거만 같았다.

제5화 하나로 완성된 해국 핀 대부도에서

2019년 9월 4일, 새 학기가 시작된 지 어느덧 이틀이 지났다. 삼삼오오 고향으로 흩어졌던 이들과 하나둘씩 학교에서 다시 마주치기 시작하며, 복학생은 덕분에 외로울 법하나 외롭지 않았다. 물론 모두가 꼭 돌아온 건 아니었다. 교환학생, 휴학 등 각자의 사정으로 잠깐 또는 완전히 학교를 떠난 이들도 있었다.

첫날과 비교할 때 지금은 그들의 빈자리가 확실히 무뎌지기는 했지만, 드문드문 그들의 부재가 실감 됐다. 그중에서 가장 크게 느껴진 건 역시 유명진의 빈자리였다. 인턴으로 잠깐 떠나갔으나 항상 장난스레 내게 다가오며 인사를 건넨 그녀라 가끔, 솔직히 그보다는 종종 그녀가 떠오른다.

"야! 김민재! 술 마시러 가자!"

"미안… 피곤해서 먼저 갈게."

"어제도 피곤했는데…"

"미안, 내일은 갈게."

"하… 알겠다. 내일 봐!"

추적추적 가을비가 내려서 그랬을까? 오늘 또한 괜스레 기분이 좋지 않았고, 동기들의 제안을 에둘러 거절한 채 집에 왔다. 솔직히 얘기하면 개강할 때부터 기분이 좋지 않았는데 버스 정류장, 학생회관 등 유명진과 걷던 거리를 걸을 때마다 그녀가 떠올랐다.

거리에 그녀의 흔적이 고스란히 남아 있으나 정작 그녀는 없어 괜히 기분이 안 좋은 거였는데, 특히 오늘같이 비가 내리는 날엔 왼쪽 어깨가 젖는 거도 아랑곳하지 않고 그녀와 웃던 게 생각나 기분이 더 안 좋았다. 그러나 흐릿한 세상에 그녀만이 선명하게 인식될 때쯤, 이번 여름의 기억 또한 선명하게 남아 그녀를 가을비에 흘려보낼 수밖에 없었다.

계절학기가 끝난 지 보름이 훌쩍 더 넘은 7월 마지막 주 토요일이었다. 집에 내려가기 전 마지막으로 자취방을 정리하고 있었는데, 교수님의 소개로 8월부터 약 한 달간 인턴을 하게 된 게 이유였다. 사실 말이 좋아 정리였고, 이 기간에 나는 아무것도 하지 않은 채 자취방에 틀어박혀 있었다. 약속을 잡은 뒤 사람을 만나거나 자격증을 준비할 수도 있었지만, 아르바이트, 인턴 등에 각자의 이유로 사람을 만나는 건 녹록지 않았을뿐더러 한 달 이내에 취득할만한 자격증 같은 건 없었다.

마땅히 자취방에서 할 일이 없었으나 한편 집에 내려가는 건 더 내키지 않았다. 가끔 던지는 부모님의 취업 질문이 이내 부담으로 다가왔던 게 이유로, 결국 이러지도 저러지도 못해 보름이 조금 넘는 시간을 자취방에 틀어박혀 있었다. 그날도 마찬가지로 자취방에 홀로 틀어박힌 채 아무것도 안 할 예정이었지만, 예고 없이 유명진에게 전화가 왔었다.

"오빠, 오늘 일정 있어요?"

"아니? 딱히 없는데?"

"그렇다면 오늘 만날래요? 저는 다음 학기부터 인턴 시작하고 오빠는 곧 집에 내려가잖아요? 한동안 못 볼 텐데, 시간 괜찮다면 오늘 보는 건 어때요?"

"음… 알았어! 장소랑 시간은 따로 알려줘."

당일에 만나자는 전화로, 나는 마땅히 하는 일도 없었을뿐더러 다음 날부터 고향 집에 내려갈 예정이라 만남에 흔쾌히 응했다.

평소 건대입구역에서 만났던 것과 다르게 우리는 신논현역 7번 출구에서 만나기로 했었다. 당시 둘이서는 처음 만난 장소였으나 혼자, 또는 약속으로 제법 간 만큼 강남은 꽤 익숙한 장소였다. 하지만 그날따라 왠지 모를 낯선 기분으로 가슴의 두근거림을 좀처럼 주체할 수 없었다.

무언가가 일어날 것만 같은 기분에 약속 시간이 가까워질수록 가슴은 더 빨라졌다. 애써 진정하려고 해도 진정할 수 없었는데, 빠르게 뛰었던 가슴은 끝내 저녁 7시 정각이 되자마자 주체할 수 없게 됐다.

약속 시간이 되자마자 익숙한 미소를 띤 사람이 다가오며 가슴이 진정될 찰나였다. 반가움으로 인사를 건네려고 했지만, 그 사람이 점점 다가올수록 인사는 물론 행동마저 주춤하게 됐다. 망사 블라우스에 검정 스커트, 평소 티셔츠에 청바지를 즐겨 입던 그녀와는 전혀 다른 모습이라 낯섦을 느꼈다.

오늘 처음 만난 것도 아니었고 처음 밥을 먹은 사이 또한 아니었지만, 평소와 다른 유명진의 모습은 마치 새로운 사람을 만난 기분을 들게 했었다. 모든 게 어색한 처음으로 돌아간 것만 같았는데, 가뜩이나 그녀로 빨리 뛰었던 가슴에 새로움이 북돋아 끝내 발아하는 새싹처럼 터질 거만 같았다. 하지만 술이 한 잔 들어가고 자연스레 두 잔 들어가며 낯섦의 장벽은 어느새 지워지기 시작했다.

평소 주량이 약한 나였으나 그날만큼은 소주 두 병 이상을 거뜬하게 마실 정도로 상태가 좋았다. 그동안 쉬는 데만 전념한 거도 한몫했겠지만, 가장 큰 몫은 역시 좋아하는 감정과 함께 낯섦이란 새로운 감정이 섞여 묘한 기류를 형성한 게 아닌가 싶었다.

포장마차의 시끌벅적한 분위기마저 잔잔한 배경 음악처럼 들려 마치 우리를 영화 속에 주인공으로 만든 기분이었지만, 문뜩 어디선가 취중 고백이 가장 최악의 고백이라는 얘기를 들었던 게 생각났다. 상대방이 취기에 헛소리하는 거로 생각할 수도 있으므로, 진심이란 포장으로 거짓을 고한다 생각할 수도 있으므로 최악이라 들었던 게 생각난 거였다. 때마침 취기에 나도 모르게 술잔을 엎어뜨려 생각한 거보다도 훨씬 취한 걸 깨달았고, 술을 깰 필요성을 느끼며 잠시 담배를 피우러 나갔었다.

당시 가게 앞에서 바로 담배를 피울 수도 있었지만, 적잖게 달아

오른 취기에 불어오는 바람을 따라 가로등 줄기조차 비추지 않는 인적 드문 골목까지 걸어갔다. 토요일에 강남은 인파로 북적였던 만큼 제법 걸어갔는데, 도착한 뒤 나는 곧장 벽에 기대앉아 담배를 꼬나물었다.

하지만 불을 붙이려는 순간 기름이 다 됐던 건지 라이터에 불이 나오지 않았는데, 근처에 그 많던 편의점도 보이지 않아 하는 수 없이 애꿎은 담배만 문 채 허공만을 멍하니 응시했었다. 꽤 오랜 시간을 그렇게 덩그러니 주저앉아 있던 찰나였다. 누군가가 내 옆으로 다가오더니 담배에 불을 붙였다.

"불 필요하세요?"

"… 어!? 왜 여기 있어? 그보다도 담배는 뭔데?"

"불 안 필요하면 라이터는 다시 넣을…"

"아냐 아냐! … 라이터 좀."

인기척에 깜짝 놀라 옆을 돌아봤지만, 더 놀란 건 그녀가 내 옆에서 담배를 피우고 있었던 거였다. 생전 담배를 피운 적 없었던 그녀가 내 옆에서 담배를 피우고 있었는데, 너무 놀란 나머지 담뱃재가 손등에 떨어졌음에도 느낌조차 안 났었다.

"계산… 아니, 그보다도 담배는 언제부터 피웠던 거야? 담배 안 피우잖아?"

"원래 술 마실 때마다 한두 번씩 피웠어요. 친한 사람이, 그리고 담배를 피운 사람이 있을 때마다요."

"아… 흐흐흐…"

"뭐야? 왜 웃어요?"

"오늘따라 다른 사람 같아서. 평소에는 마냥 해맑았는데 오늘은 좀… 낯서네? 내가 아는 유명진이 맞나 싶고?"

"… 별로예요?"

"아니!? 별로가 아니라 낯선 거라니까? 별로인 건 아니고!"

담배를 피우며 대화할 때조차 그녀는 나를 놀라게 했다. 하지만 그녀는 놀란 나를 보고 난 뒤부터 웃음기 많았던 원래의 표정을 보였고, 나도 그제야 술기운과 함께 그녀에게 낯섦을 떨칠 수 있었다.

그녀는 생기발랄한 미소로 주변 사람들까지 기분을 좋게 만드는 능력이 있었다. 당시 우리는 술이 깼으나 담배를 피운 내내 그녀는 취한 거와 같이 내 기분까지 좋게 만들면서 우리의 웃음은 멈추지 않았다.

웃음이 어느 정도 멈춘 뒤에야 그녀가 먼저 자리를 일어날 것을 얘기했는데, 우리는 삼삼오오 수많은 사람이 거리를 채운 강남역 사거리를 지나서 역삼역에 한적한 거리까지 걸어갔었다. 그렇지만 아까와는 달리 그녀는 아무 말 없이 나보다 몇 걸음 더 앞장서더니 어느 순간, 갑자기 내 쪽으로 걸음을 향했다. 그녀는 나와 불과 5cm 남짓 안 된 간격까지 향한 뒤에야 걸음을 멈췄는데, 기다릴 만큼 기다린 건지 마침내 운명의 시위를 나에게 먼저 당겼었다.

"이제 대답해주세요."

"무슨 대답…?"

"치, 알면서…. 오빠, 거짓말할 때 항상 티 나는 거 알아요? 눈을 오른쪽으로 피하는 습관."

"…"

예기치 못한 상황, 그에 따른 당황스러움에 나는 무의식적으로 대답을 회피하려 했었다. 그렇지만 그녀는 내가 아는 그 이상으로 나를 잘 알았고, 나는 결국 대답을 피할 수 없었던 상황에 놓이게 됐었다.

사실, 대답은 이미 정해져 있었다. 그러나 확실하게 하고 싶었던 마음에, 한편 '이제 정말로 눈의 꽃에 흔적이 지워질 수 있을까?'라는 궁금함에 대답하기 전, 그녀에게 오히려 먼저 질문을 던졌다.

"… 대체 내가 왜 좋은 거야? 솔직히 잘 모르겠어. 잘생긴 거도 아니고 성격이 좋은 거도 아니야. 평범한 얼굴에 평범한 키, 나는 평범한 그 자체인데 왜 좋아하는 건지 솔직히 이해가 안 돼. 또…"

궁금함에 던진 질문은 하면 할수록 나를 비참히 만들었다. 남자로서는 물론, 사람으로서 매력조차도 없다 스스로 생각이 들 정도였지만, 진심으로 궁금했었다. 그녀가 나를 정말로 사랑하는 것은 둘째치더라도 내가 다시 누군가를 사랑해도 되는지, 한여름 소나기처럼 금방 감정이 그치는 거는 아닌지 궁금했었다. 하지만 그녀는 서두에 단 한마디로 내가 더 비참해지는 걸 막더니 끝내 내가 아는 그녀답게 먼저 솔직함을 털어놓았다.

"바보."

"어?"

"자격지심 아니에요? 괜히 오빠를 낮추지 마요."

"… 그럼 대체 내가 왜 좋은 건데? 정말 이해가 잘…"

"해외학술탐방에서 처음 만났을 때부터 좋아했어요."

"… 어?"

"말 안 하려고 했는데, 씨… 정확히 처음 만났을 때는 좋아하는 거보다 호감이었죠. 같은 과에 같은 학번인데 당연히 호감이 갈 수밖에 없었죠. 아, 당연히 용기 내서 처음으로 말 걸었을 때는 별로였어요. 퉁명스럽게 대하는데, 솔직히 누가 좋아하겠어요?"

"그렇다면 대체 언제부터 좋아…"

"일단 들어봐요! 아무튼 같은 조니까 별수 없이 같이 다녀 몇 번 더 말을 붙였는데, 갈수록 의외라서 놀랐어요. 마냥 무뚝뚝한 줄만 알았는데 생각보다 친절한 건 물론이고, 정도 많아 언니 때문에 힘든 와중에 저 챙겨주고. 기억 안 나요? 지나가는 소리로 물 마시고 싶은 걸 얘기하니까 제가 화장실에 다녀온 사이에 오빠가 물 사다 준 거? 학생팀에서 자리를 대체 왜 벗어났냐 얘기하며 오빠를 꽤 혼냈잖아요! 그리고…"

계속 그녀가 솔직함을 털어놓는데, 정말 의외였다. 예상보다 꽤 오래전부터 나를 좋아한 거도 의외였지만, 지나치듯 단순히 베푼 호의가 누군가에게 진심으로 다가갈 수 있었던 게 정말 의외였다. 그녀의 말이 당시 길어서 지금은 다 기억하지 못하지만, 확실한 건 금방 사라질 감정이 아니란 걸 느꼈었다. 무엇보다 그녀라면 내가 어떤 모습이든 간에 나를 사랑할 게 분명했고, 당시에 나는 다시 누군가를 사랑해도 될 거만 같았다.

"듣고 있어요!?"

"어? 어…"

"아무튼! 아무튼… 오빠 좋아한다고요… 탐방에서 처음 만났을 때부터 지금까지 쭉… 좋아한다고요…."

"… 그럼 설화와는 왜 잘 되게 도와준 거야?"

"좋아하니까… 좋아하니까 잘 되길 바라, 정말 좋아하는 사람이니까 행복하길 바라 도와줬죠… 그래서 당시… 정말 후회했어요. 그러니까 이제…"

더는 말이 필요 없었다. 홀로 하는 짝사랑의 아픔이 얼마나 고통스러운 건지 그 누구보다도 잘 알았으므로 대답하는 대신, 우리가 함께 마신 소주의 도수가 얼마나 높은지를 전달했다. 그 안에서 우리가 함께 만들 사랑의 농도도 얼마나 짙을 건지 함께 전달했는데, 사랑은 친구로서 오래 알고 지냈던 만큼이나 속력을 내며 빠르게 불타올랐다.

누구 하나가 먼저 얘기한 거도 아니었지만, 우리는 더 빠르게 사랑의 불을 지펴 올리고자 둘만의 화원으로 향했다. 그 누구에게도 방해받지 않고자 자연스레 향했던 거로, 싹이 발아될수록 사랑의 농도도 함께 짙어졌다.

서로가 한참이나 싹을 어루만지며, 불과 몇 시간 전까지만 해도 서로에게 금기된 부분까지 알게 되자 서로는 달뜰 수밖에 없었다. 마치 서로는 선악과를 처음 맛본 아담과 이브가 된 거 같았는데, 마침내 싹을 피울 때였다.

'나는 너를 완전히 잊은 걸까?'

직전에 하나의 생각이 떠오르며 순간 주춤하게 됐다. 너를 완전하게 잊은 건지를 생각하게 됐던 거로, 생각은 곧 나에 대한 의심으로 이어지며 끝내 발화를 멈추게 하였다.

"… 무슨 일 있어요?"

"미안… 조금 더 생각할 시간을 줄 수 있을까? 아직… 확신이 안 서네."

"… 나쁜 놈."

그날 처음 만날 때부터 내게 낯섦을 느끼게 했던 그녀는 갈 때마저도 낯섦을 느끼게 했었다. 웃음기 많던 그녀의 얼굴이 처음으로 일그러졌었다. 찌푸려진 미간부터 입술을 굳게 다물며 생긴 입주름까지 누가 봐도 증오의 표현이었다.

그녀는 생전 보지 못했던 표정으로 짧지만 강렬한 한마디를 남기더니 끝내 화원을 벅 차 나갔었다. 하지만 화원에 홀로 남겨졌던 나는 차라리 잘된 거만 같아 미안함보다 다행으로 생각했었다.

사랑은 일방통행이 아니므로, 사랑은 혼자 만드는 게 아니므로 막상 사랑 앞에서 준비가 되지 않은 걸 경험했던 나는 정말 돌이킬 수 없는 선을 넘지 않아 다행이라는 생각이 들었다. 하지만 머리와 다르게 마음은 그렇지 못했던 건지 시간이 지날수록 답답해졌다.

계속 생각해봐도 역시 감정을 정리하지 못했던 게 가장 큰 이유였다. 이전의 걱정과 달리 그녀가 아니라 되레 내가 호감과 사랑을 착각한 거만 같아, 무엇보다 마침내 지워질 거만 같았던 눈의 꽃에 흔적이 아직 지워지지 않은 걸 깨달아 의심이 끝내는 답답함으로 바뀐 거였다.

마음을 조금이라도 달래고자 애꿏은 폐가 숨 쉴 수 없을 때까지 담배를 태웠지만, 역시 답답함은 그대로였다. 아니, 외려 뽀얀 담배 연기가 화원을 가득 메우며 사라졌던 네가 내 눈앞에서 아른거리자 먹먹함까지 생겼다. 하지만 네가 결국 사라졌던 거와 같이 연기가 사라지자 다시 정신이 들었고, 담배의 역한 잔향이 코끝을 찌르기 시작하며 창문을 열게 됐다.

평소에 인산인해를 이룬 역삼역이라도 밤은 여느 밤과 같았다. 가끔 적막을 깨는 차 소리, 안 보이는 저 멀리에서 비친 불빛까지 모든 게 같았다. 다만 소나기와 함께 안개까지 찾아오며 그날의 새벽은 검은색이 아닌 회백색으로 물들었는데, 연기에 사라진 줄로만 알았던 네가 안갯속에서 다시 피어오르기 시작했다.

너는 내 눈앞에 나타나며 도심 속 매캐한 안개마저 은은한 국화 향기로 바꿨고, 시간도 그날에 날씨와 같았던 대부도로 이끌었다. 우리가 연인이 된 이후 처음 여행 갔던 날로 다시 이끌었던 거로, 당시 또한 소나기가 내렸고 안개가 자욱한 여름이었다.

여행하기에 좋은 날씨는 아니었지만, 연인과 처음 하늘의 채색을 관람했던 기억은 좋다 못해 이제 잊지 못할 기억이 됐다. 무엇보다 그 끝자락에서 처음으로 하나가 됐던 기억은 살아가는 동안에 아로새겨진 흔적이 됐다. 그렇게 너는 당시에 피어오른 해국보다도 더 강렬한 색채를 띤 채 내 마음에서 점점 피어오르기 시작했다.

*

오랜 기다림이 기적이 된 2016년 여름, 나는 매일 아침을 파랑새에 행복의 지저귐으로 일어났다. 마냥 무겁기만 했던 아침이 상쾌하게 느껴지던 건 그때가 처음이었는데, 시간이 흐를수록 사랑의 화원은 점점 다채로워지며 행복이 져버릴 기미가 도무지 없었다.

건대와 노원 사이, 그 어디쯤에서 우리는 이처럼 매일 화원 속에 꽃송이를 하나둘씩 피우며 화원을 다채롭게 만들었다. 형형색색의 꽃들이 피어날수록 어느 꽃은 화려하다 못해 찬란했지만, 어느 꽃은 평범하다 못해 눈에 띄지 않았다. 우리의 화원이 축제처럼 매일 화려한 꽃만 피어났다면 좋았겠지만, 모든 날이 특별할 수 없는 것처럼 우리의 꽃 역시 대부분은 평범하다 못해 눈에 띄지 않았다.

연애를 시작하면 매일 특별할 것이라는 생각은 이처럼 정말 큰 착각이었는데, 연애 전과 같이 우리는 대부분 도서관에 가는 데만 그쳤다. 물론 가끔은 공부하지 않고 영화를 보거나 노래방에 가서 시간을 보냈지만, 이 또한 연애 전과 마찬가지였다. 돈 삼만 원을 쓰는 게 부담되는 대학생에게 매일 특별한 순간을 기대하는 것은 사치인 건 알았지만, 그래도 가끔은 일상에서 벗어나 화려한 꽃을 개화하고 싶었다. 하루라도 좋으니 어디든지 정말 놀러 가고 싶었는데, 기다리다 못한 나는 드디어 먼저 놀러 가자 얘기하기로 했다.

그날도 평소처럼 정류장에서 아르바이트가 끝난 너를 기다리며, 어떻게 얘기할지를 한참 생각했었다. 어떻게 얘기할 때 네가 상처받지 않을지를 한참 생각했지만, 버스에서 내리는 너를 보자마자 생각은 곧 물거품이 됐었다. 무슨 일이 있던 건지 내 눈앞에 나타났던 너는 이미 온몸이 상처투성이가 된 상태였다. 그런 너는 나를 보며 애써 미소를 지었지만, 이미 나는 너의 한쪽 입꼬리만 올라간 거를 보며 힘듦을 삼키는 중인 걸 알아챈 지 오래였고, 선뜻 여행 가자 얘기를 할 수는 없었다.

이날만큼은 무슨 이야기를 해도 웃음이 없던 건 물론, 얼마 못

가 대화가 끊겼다. 몇 차례 먼저 말을 건네도 마찬가지여서 결국 이후에는 밥 먹을 때도, 도서관에 갈 때도 나는 먼저 말을 건네지 않았다. 때로는 말보다 침묵이 위로되는 법이라 일부러 네가 먼저 말을 건넬 때까지 기다린 거였지만, 시계가 밤 10시를 가리켰을 때까지도 너는 나에게 먼저 말을 건네지 않았다. 대신에 너는 짐을 챙기며 집으로 가자는 걸 내게 넌지시 전달했을 뿐이었다. 집으로 향할 때마저도 우리의 세상을 채우는 건 가로등 불빛과 터벅터벅 발걸음 소리뿐이었다.

당시 가는 동안 무슨 말이라도 할까 생각하지 않은 건 아니었다. 하지만 네가 얘기하고 싶지 않을까 봐, 혹은 불편할까 봐 걱정되어 입을 닫게 된 거였다. 그렇게 마침내 너희 집 앞에 도착할 때였다.

"안녕."

"…"

우리의 처음과 끝을 장식했던 그 한마디 인사를 끝으로 마침내 내가 먼저 침묵을 깬 채 뒤돌아갔지만, 갑자기 네가 내 손을 덥석 잡았다. 파르르 떨리는 네 입술 끝에 머지않아 들린 여섯 글자는 곧 나를 흔들기 시작했다.

"우리 집에… 올래?"

"… 어?"

매일 집에 돌아갈 때마다 함께 발걸음을 옮겼던 너의 집이었다. 그러나 그 안까지는 암묵적으로 금기시되어 들어가는 건 물론이고 생각조차 하지 않았지만, 그날 오히려 네가 먼저 금기를 깨뜨릴 걸 얘기했다.

"아니면… 그냥 갈래?"

"아니! 그, 그게… 갈게! 아니, 들어갈게!"

단순히 친구 집이라면 고민조차도 하지 않았을 거였다. 하지만 너는 단순히 친구를 넘어 여자친구였다. 당연히 고민이 안 될 수 없었지만, 너는 무엇이 급한 건지 고민할 틈조차도 주지 않았다. 나는 결국 그때의 내 가슴이 이끌었던 대로 너의 세상에 한 걸음 더 다가갈 거를 결정했는데, 너의 집에 발자국을 들이자마자 생각과 다른 모습에 놀라움을 감출 수 없었다.

그동안 너의 세상은 벚꽃같이 화사한 분홍빛이라 당연히 집안은 다채롭게 꾸며져 있을 줄로 알았다. 하지만 기본적인 가구만 존재하며 화려함보다 오히려 수수함에 가까웠고, 그 모습이 마치 나와 같다는 생각이 들며 처음으로 그날 너에게 동질감을 느끼게 됐다.

"술 마실래?"

"내일도 아르바이트 나가지 않아?"

"… 그만뒀어."

찰나에 너에게 동질감을 느끼며 긴장이 한결 풀렸을 때쯤, 너는 아직 내 긴장을 완벽히 못 풀게 했다. 네가 평소 입에 대지 않던 술을 내게 권한 거였는데, 처음에는 애써 피했으나 끝내 너는 내가 마실 수밖에 없게 하였다. 다만 나는 이성의 끈을 놓지 않기 위해 최대한 천천히 마셨으나 너는 무슨 생각이었는지 마시다 못해 퍼부었다. 마치 태양이 내리쬐는 사막에 오아시스를 발견한 사람처럼 주체할 수 없을 정도로 술을 마셨지만, 어느새 말없이 술을 마셨던 너는 한마디씩 먼저 얘기를 꺼내더니 끝내 쓸데없는 얘기도 즐거운 듯 환한 미소를 지었다.

분위기가 한창 무르익던 도중 나는 드디어 아르바이트를 그만둔 이유를 물어봤었다. 사실 그럴 수밖에 없었던 게 일 년이 넘도록 일했고 같이 일한 사장님부터 직원까지 모두 괜찮은 걸 항상 얘기했었다. 그런 네가 갑자기 그만둔 데는 그만한 이유가 있을 거만 같아 이유를 물어볼 수밖에 없었다.

너는 잠시 주춤했으나 이내 결심한 듯 술을 한 모금 들이킨 뒤 입을 열었다. 하지만 정작 이유를 들은 순간, 적어도 나에게 있어서 김빠진 맥주처럼 미적지근한 이유였다. 처음에는 농담인 줄 알고 다시 물어보려고 할 정도였지만, 사뭇 진지한 표정과 이어지는 네 고백에 입을 닫게 됐었다.

"**지쳐서…**."

"에이, 농담…"

"한 달? 아니다, 그보다 조금 안 됐다. 어느 순간 자고 일어나도 계속 피곤하더라? 처음에는 단순히 몸이 안 좋은 거로 생각했는데, 오히려 시간이 지날수록 더 나빠지는 거 있지?"

"… 그 정도면 병원에 가봐야 하는 거 아니야?"

"갔었지. 근데, 몇 군데를 가도 마찬가지로 이상 없다고만 얘기하더라? 그래서 대체 이유가 뭘까를 생각했는데… 이유를 생각하는 게 이유더라. 웃기지?"

"…"

이어지는 고백에 결론은 난센스였다. "이유를 생각하는 게 이유더라."라는 말이 당시 도무지 이해가 안 돼 잠자코 들었는데, 담담하게 말을 이어가던 너는 감정이 격앙된 건지 목소리에서 약간의 떨림이 고스란히 전해지기 시작했다.

"사실, 오늘 아르바이트를 하기 전까지는 몰랐어. 무작정 생각하지 않고 일하는데 하… 오늘따라 계속 베이고 쓸리고, 결국 다리도 풀려 넘어지더라? 그렇게 한참 쓰러져 있었는데, 비로소 알겠더라. 내가 이유를 생각하는 게 이유라고. 보태어 설명하면, 이유를 생각하려고 '압박'을 느낀 게 이유라고."

"번아웃 증후군… 같은데? 도대체 무슨 이유로 압박을 느끼기 시작한 거야?"

"아마, 어느 순간부터 다시 꿈을 생각하기 시작하며 압박을 느낀 것 같아. 꿈은 꽃집을 차린 거였는데 아르바이트만 하고 있으니… 어느 순간부터 '대체 뭐 하고 있는 거지?'라는 생각이 들기 시작했고, 어느 순간부터 전부 하기 싫더라고. 그래서 오늘 실수까지 이어졌고, 결국에 아르바이트도 충동적으로 그만두고… **다, 너….**"

너는 결국 말을 다 이어가지 못한 채 무릎 사이로 고개를 파묻었는데, 당시에 내가 할 수 있었던 건 위로뿐이라 말없이 내 어깨를 내주었다. 너는 내 어깨에 기대더니 마침내 흐느끼기 시작했지만, 솔직히 한편으로 놀라움을 감출 수 없었다.

항상 분홍빛 같았던 너의 세상에도 어두운 그림자가 존재했다. 밤의 그림자처럼 색상은 물론, 빛조차도 없는 무채색의 그림자라 나의 세상과 비슷하다 느껴질 정도였는데, 앞서 단순히 동질감만 들었던 감정이 점점 하나까지 된 기분이었다.

형용할 수 없는 야릇한 기분이었다. 당시 너와 연애하게 된 건 얼마 안 됐지만, 서로 알고 지낸 세월은 인생의 삼 분의 일을 차지할 정도로 꽤 오랜 세월이었다. 하지만 하나가 된 기분까지 느낀 적은 없었는데, 그날 처음 하나가 된 기분을 느끼자 괜스레 가슴이 두근거리기 시작했었다.

한 번 두근거린 가슴은 점점 더 박차를 가하더니 마침내 숨까지 가빠왔다. 만약 시간이 그대로 흘렀다면 분명 이성의 끈을 놓았을 정도였지만, 그날 운명의 여신은 딱 거기까지라고 얘기했었다. 내 어깨에서 흐느끼던 네가 어느새 조용해지더니 끝내 스르륵 옆으로 쓰러진 거였다. 하루가 피곤했는지 새근새근 코도 골기 시작했는데, 무사히 넘어간 데에 대한 안도감이었을까? 아니면 허탈감이었을까? 잠든 너를 보고는 나도 모르게 헛웃음이 나오기 시작했었다.

그날 여름의 새벽은 소나기가 한결 기승을 부리고 간 뒤라서 꽤 한기가 돌았다. 바닥이 춥다 느껴질 정도였는데, 그대로 너를 두고 갈 수는 없어 침대에 옮긴 뒤에야 세상으로 다시 나갈 수 있었다. 하지만 빗소리 때문일까? 아니면 헛웃음 소리 때문일까? 잠든 줄 알았던 너는 문고리를 잡자마자 내게 속삭이듯 말을 건넸고, 그 끝에서 나는 다시 가슴이 뛰기 시작하며 끝내 밤을 지새우게 됐었다.

"김민재…"

"어…? 자는 거 아니…"

"우리 여행 갈래?"

"… 뭐?"

내가 잘못 들은 건가 싶어 네게 다시 물었지만, 너는 자는 건지 아니면 자는 척하는 건지 끝내 대답하지 않았다. 하지만 분명한 건 우리의 화원에 화려하다 못해 찬란한 꽃이 처음 피어나려 했었다.

나흘 뒤인 팔월 첫째 날에 우리는 바로 여행을 출발했다. 반쯤 충동적으로 결정했던 만큼 장소로는 가까운 서해를 선택했었는데, 너와 함께라면 어디든지 갈 수 있었으므로 아무렴 상관없었다.

버스를 타고 중앙역부터 대부도까지 가는 방법도 있었지만, 나는 어쭙잖은 자존심에 의하여 정왕역에서 차를 빌려 갔었다. 운전면허 취득 후 사실상 처음 운전한 거였는데, 다행히 천천히 밟다 보니 어느 순간에 몸이 기억하며 자연히 풍경 중 하나가 될 수 있었다.

제법 운전이 익숙해진 뒤부터 속력을 높여 갔는데, 운전 도중에 휴게소가 보였다. 당시 속력이라면 목적지까지는 겨우 십여 분밖에 안 남았지만, 우리는 시간에 쫓기지 않았다. 잠시 기지개나 켤 목적으로 들릴 것을 결정했는데, 내리자마자 휴게소가 짜지 않은 소금 향기를 뿌렸다. 본인도 바다에 있는 걸 얘기했던 거로, 향기에 반가움과 함께 정겨움이 섞여 있어 오랜만에 기억 저편의 내음까지도 불러왔다. 무려 구 년 전의 향기를 불러왔었는데, 너는 무엇이 그렇게도 좋았는지 음흉하게 웃은 채 먼저 향기를 얘기했었다.

"기억나? 우리 초등학생 때 완도로 해수욕장 갔던 거?"

"오학년 때? 당연히 기억나지! 그때 꽃게한테 물린 게 지금까지 생생한데! … 그때도 아마 오늘처럼 비가 꽤 내렸었지?"

"그것밖에 기억 안 나?"

"그게 무슨…"

"전망대다!"

하지만 구 년 전의 향기를 먼저 끄집어낸 너는 얘기를 하다 말고 제멋대로 나갔다. 해맑은 여섯 살짜리 어린애처럼 먼저 전망대를 향해서 쏜살같이 나갔는데, 나는 찝찝했지만 너를 놓칠세라 이내 생각을 미루고 너를 뒤쫓아 갔었다.

잠시 들릴 거라는 예상과 달리 휴게소는 우리를 한 시간 가까이 붙잡았다. 보슬비가 내리며 과거의 향기가 걷힐 때 겨우 대부도로 출발할 수 있었는데, 보슬비는 부슬비로 변하더니 끝내 소나기가 됐었다. 하지만 금방 그칠 거라는 예상과 달리 점심을 먹은 뒤에도 계속 내렸었고, 우리는 하는 수 없이 숙소에 먼저 향했다.

숙소는 펜션이나 말이 펜션이지 원룸이었다. 심지어 자취방보다 작았지만, 불만은 전혀 없었다. 삼만 원이라는 푼돈조차 부담스러운 대학생에게 당시 육만 원으로 성수기의 하루를 보낼 수 있었던 건 감지덕지했다. 무엇보다도 그때 역시 너와 함께라면 두 평 남짓의 공간이라도 행복할 뿐이었다.

"야! 김민재!"

"왜?"

"나 수건 좀!"

가뜩이나 여름이라 습한 날씨가 비까지 내려서 꿉꿉했다. 너는 결국 방에 들어오자마자 샤워하러 화장실에 들어갔는데, 미처 수건까지는 챙기지 못하며 내게 수건을 부탁했었다.

사실 이때까지만 해도 나는 아무 생각이 없었다. 단순하게 수건만 건네려고 했었지만, 화장실에 문이 잠시 열린 순간부터 상황이 달라지기 시작했다. 찰나에 은은하나 그 끝은 살짝 진한 국화 향이 코끝을 찌르더니 끝내 가슴까지 찔러 빨리 뛰게 하였다.

애써 호흡을 가다듬고 진정하려 해도 한 번 들뜬 가슴은 도무지 말을 듣지 않았다. 네가 문밖으로 나오며 국화 향이 퍼지자 결국 고장까지 났고, 꽃망울이 터질 듯 곧장 가슴이 터질 거만 같았다. 그러나 꽃망울을 꽉 쥐면 끝내 못 피듯이 당시 나는 한순간의 감정으로 너라는 꽃을 꺾고 싶지 않았다.

일촉즉발 직전, 간신히 이성으로 가슴을 붙잡으며 사고는 피했다. 하지만 사고를 피해도 장면은 남는 거처럼 가슴이 차분해지자 사랑이라는 이름으로 욕정을 채우려고 한 나 자신에게 한심함을 느끼게 됐었다. 자는 척 이후 꽤 오랜 시간을 질책까지 하게 됐는데, 어느 순간 자는 척한다는 게 그만 잠들고 말았다. 눈 떴을 때는 내 감정처럼 소나기가 지나간 뒤로, 창문 너머 짙은 회색 하늘에는 붉은 기둥이 하나둘씩 땅을 잇는 중이었다.

"일어났어?"

"응… 비가 그쳤네?"

"그러게…"

내 옆에서 곤히 자는 줄만 알았던 너는 어느새 다가오더니 내 어깨에 머리를 기대며 먼저 얘기를 꺼냈었다. 서로의 대화는 몇 마디, 그마저도 형식적으로 주고받은 채 끝났다. 누군가 대화를 들었을 때 연인으로 생각하지 않을 법할 정도였지만, 이미 그때는 남아 있던 국화 향이 서로 하나로 연결하며 더 말이 필요 없을 뿐이었다.

찰나이나 그 순간만큼은 온도부터 숨결까지, 서로 그동안 다르게 그려졌던 세상이 하나둘씩 연결된 거만 같았다. 마치 하나의 그림으로 완성될 거만 같았지만, 생각과 현실은 언제나 다른 법이었다.

국화 향이 마침내 서로의 세계까지 하나로 이으려던 도중, 네 배꼽시계가 눈치 없이 꼬르륵 울리더니 끝내 잿빛 하늘로 국화 향을 사라지게 하였다. 애써 무시한 채로 국화 향을 잡으려고 해도 사라졌고, 설상가상 한 번 울렸던 알람이 계속 울리며 국화 향은 온데 간데없었다. 우리는 결국 세상을 잇는 걸 잠시 멈춘 채 감정보다 주린 배를 먼저 채우러 갔었다. 잿빛 하늘은 어느덧 어둠 저편으로 사라지는 중이었는데, 식당에서 나왔을 때는 이미 검정 도화지에 몇 조각만 남은 뒤였다.

여름 바다를 충분히 만끽하지 못한 아쉬움이었을까? 아니면 여름 바다의 공기가 우리의 감정에 스친 거였을까? 타임랩스처럼 하나둘씩 사라지는 회색 조각을 보며, 누구 하나 먼저 얘기하지 않았으나 우리는 하늘의 마지막 채색을 보고자 숙소 대신 해변으로 향했다.

"안 내면 발 담그기!"

"가위! 바위! 보!"

"아, 진짜!"

"어떻게 한 번을 못 이기냐?"

당시 대부도 바다는 한차례 소나기가 지나가며 제법 파도가 출렁거렸다. 주변까지 어두컴컴하여 누구 하나 바다의 일부로 사라지면 못 찾을 정도였지만, 우리는 바보 같다 못해 미련한 내기를 하고 있었다. 가위바위보에서 진 사람이 바다에 발목을 담그기로 했던 건데, 생각은 이미 감정이란 파도에 휩쓸려간 지 오래였다.

"주머니에 있는 거 싹 다 꺼내고 들어가!"

"왜? 파도가 바지까지 닿지도 않을 텐데?"

"혹시 모르잖아?"

숙소에 돌아온 후 알게 된 사실이나 이때까지 나는 가위바위보를 할 때마다 항상 가위를 먼저 냈다 한다. 그러나 그때까지 사실을 몰랐던 나는 당연히 바다에서 네가 짜놓은 판 안에 그려질 수밖에 없었다. 물론 너는 양심이 살짝은 찔렸는지 내가 바다에 들어가기 전에 넌지시 몇 번 귀띔했었다. 그중 제법 눈치챌 법한 말도 있었지만, 당시 사랑을 주는데도 바빴던 나는 의심조차 하지 않은 채 바다로 걸음을 옮겼다.

한 걸음, 한 걸음, 어느새 하늘에 검정 도화지만 남아 칠흑 같은 바닷속으로 발걸음을 옮겼다. 처음엔 바다에 빨려드는 기분에 마냥 불안했지만, 발걸음을 옮길수록 고운 모래가 내 발목을 부드럽게 어루만진 기분에 어느덧 편안함만 느껴졌다. 마치 네 품에 안긴 것 같아 어느 순간 발목 넘어 무릎까지 들어가는 중이었는데, 파도의 파열음이 불협화음으로 변하자 정말로 나는 네 품에 안기게 됐다.

"야! 김민재!"

"어!? 야야! … 풋! 너, 지금 뭐…"

바다가 불러주는 노래에 잠든 거처럼 포근할 때쯤, 멀리서부터 또 다른 파열음이 들려왔다. 네가 첨벙첨벙 내 쪽으로 다가오는 소리였는데, 곧바로 차가운 여름 바다의 기운이 느껴지며 정신은 들었으나 너와의 거리는 이미 5cm 남짓밖에 안 남은 뒤였다.

너와 연인이 된 이후, 놀라움을 감추지 못했던 순간들이 가끔 있었다. 마냥 화려할 줄만 알았던 네가 나처럼 어두운 그림자를 보여줄 때도 그랬지만, 이때처럼 장난기 많은 모습을 종종 보여줄 때 역시 놀라움을 감추지 못했다. 때때로 너의 장난이 나에게는 버거웠는데, 이때 역시 너의 장난에 나는 웃고 넘길 수가 없었다.

당시 나는 물에 빠진 생쥐가 비웃을 정도로 바다에 빠진 뒤에야 겨우 네 품에서 벗어났었다. 그 모습에 너는 마냥 밝게 웃었지만, 나는 칠흑 같은 어두운 바다보다도 어두운 표정을 감추지 못했다. 생각지도 않은 입수에 한동안 숨을 못 쉬며 사고로 이어질 뻔한 데에서 화가 났던 거로, 너는 눈치를 못 챈 건지 아니면 안 챈 건지 그저 예쁜 미소만을 뒤로한 채 먼저 바다를 빠져나갔다.

해변에서 길목으로 나가기 전까지 역시 너는 감정이 배부른 상태였다. 아니, 오히려 감정이 부풀며 술도 마시지 않았으나 취한 거만 같았는데, 토끼처럼 깡충거린 너는 어느 순간 나비처럼 나풀거리기까지 했었다. 마치 꽃을 만나 신난 나비처럼 나풀거렸지만, 나비가 사마귀에 기습당하듯 예기치 못한 사고가 찾아왔었다.

한창 신난 채로 날고 있던 너는 갑자기 비명을 지르더니 끝내는 그대로 주저앉았다. 그 모습에 깜짝 놀랐던 나는 서둘러 네게 달려갔는데, 물기가 하나도 없었으나 해변을 흥건하게 적실 정도로 네 왼쪽 발바닥에서 피가 나는 중이었다.

당시 병원은 물론, 그 흔한 편의점도 보이지 않았다. 너는 탄식과 함께 숨만 내뱉는 중이었지만, 어쩔 줄 몰랐던 나는 그저 우두커니 서 있었다. 그대로라면 상황이 더 심각해질 게 분명했으나 너무 놀랐던 나머지 자리에서 굳어버린 거였는데, 운명의 여신이 보고 있었던 걸까? 바람이 머리를 스쳐 지나가며 놀랐던 가슴이 진정되기 시작했다.

정신까지 들며 우선 윗옷으로 너의 발바닥을 꽁꽁 싸맨 뒤 너를 숙소까지 업고 갔었다. 다행히 흰옷이 붉게 물든 거와 달리 너의 상처는 옅어 이후 숙소에 도착하자마자 나는 병원 대신 편의점에서 소독약과 반창고를 사 왔다.

나는 너의 발바닥을 소독하며, 예상보다 사고가 크지 않아 자연스레 안도의 한숨이 내쉬어졌다. 하지만 한차례 지나갔던 감정이 다시 차오르며 화가 치밀어 올랐고, 일부러 네 발바닥에 소독약을 붓고서는 수건으로 있는 힘껏 톡톡 쳤었다.

"아파!"

"…"

"아프다고!"

네 비명에도 나는 아랑곳하지 않고 톡톡 치며 간접적으로 너에게 화풀이했다. 누군가 크고 작은 사고를 겪는 건 종종 있는 일이지만, 그 대상이라 너라서 좀처럼 화가 수그러들지 않았다.

"야! 김민재!"

"왜! 김설화!"

"어…?"

"너는 대체 무슨 생각하는 거야? 아까 바다에서도 그렇고, 무슨 생각으로 위험하게 행동해? 신난 건 좋아. 그렇지만 상황은 봐야 하는 거 아니야? 만약…"

나는 결국, 너에게 처음으로 그날 화냈다. 참다못해 폭발한 만큼 순간 봇물 터지듯 화냈지만, 얼마 못 가 화는 저절로 수그러들었다. 그날 쉴 틈 없이 올라간 너의 입꼬리가 내려간 걸 발견하며 화가 온데간데없이 사라진 거였다.

　너의 눈가 역시 내려가며 그 끝에서는 그렁그렁 눈물이 맺혔다. 너는 애써 눈물을 참으려고 한 거 같았지만, 아픈 게 그제야 생생하게 느껴졌던 건지 결국 눈물을 흘리고 말았다. 그 모습에 나는 처음 그날 너를 울린 것에 죄책감이 들었지만, 알량한 자존심으로 사과하지 못했다.

　한동안 너의 울음소리만이 방안을 가득 메웠는데, 함께 있을 때 너의 눈물이 멈추지 않을 거만 같아서 결국 먼저 자리를 피했다. 그리고 정처 없이 대부도를 떠돌았지만, 미련이 남았던 건지 어느 순간 대부도 해변에 다시 가 있었다. 도시와는 다르게 밤 열 시의 대부도 해변은 파도만 존재했다. 무채색의 세상에 홀로 덩그러니 있는 모습은 마치 나와 같아 외로움이 들었다.

　'조금만 더 참지… 하다못해 먼저 사과하지… 그놈의 자존심이 뭐라고…'

　너와 함께 보낸 시간이 파도에 계속 밀려오며 앞서 내가 했었던 행동들을 후회하기 시작했다. 그 끝에서 나는 더 후회하기 전에 너에게 다시 돌아갈 걸 생각했지만, 도무지 용기가 안 났다. 아직 네가 울고 있을 거만 같아, 내 사과가 그저 변명으로 들릴 거만 같아 갈 수가 없었다. 이러지도 저러지도 못한 채 발만 동동 굴렸는데, 어둠 속에 순간 한 줄기의 빛이 내 눈에 들어왔다.

　칠흑 같은 어둠과 다르게 너무 찬란히 빛나서 나도 모르게 빛이 나는 쪽으로 발걸음을 옮겼는데, 흰색 해국이 피어나 있었다. 홀로 피어난 해국은 바위틈에서 의연한 자태를 뽐냈었는데, 그 모습에 감명받은 걸까? 어느 순간 나는 너에게로 돌아갈 결심이 굳으며 더 주저하지 않은 채 숙소로 다시 돌아갔다.

한 치의 망설임조차 없이 방으로 들어가자마자 "미안해" 세 글자를 얘기할 결심을 했었다. 변명은 집어치우고 그저 내 진심만을 네게 말해주고 싶었다. 하지만 방에 들어갔을 때, 제풀에 지친 건지 너는 벽에 등을 돌린 채 새근새근 숨소리만 냈을 뿐이었다.

자는 건지 아니면 자는 척하는 건지 몰랐던 나는 하는 수 없이 간단하게 샤워를 마친 채 불을 끄고 누웠다. 괜히 혼자 발만 동동 굴렸다는 생각이 들었지만, 그제야 긴장이 풀렸던 나는 머지않아 눈꺼풀이 무거워지며 생각은 금세 사라졌다.

시야마저 흐려지며 스르륵 잠들기 시작했는데, 에어컨으로 한결 차가워진 등이 어느새 따뜻해지기 시작했다. 익숙한 온도를 느낀 나는 깜짝 놀라서 눈이 번쩍 떠졌고, 곧바로 정신까지 들며 앞서 결심한 대로 네게 사과를 건네려고 했었다.

"그거 알아? 너는 가위바위보 할 때마다 가위부터 내는 거?"

"…"

"그래서 내가 원하는 게 있을 때마다 항상 가위바위보를 했던 거였고, 내가 원하는 방향대로 너를 이끈 거였어…"

하지만 사과를 건네려던 찰나, 네 입 모양에서 먼저 변화가 시작되며 나는 다시 입술을 앙다문 채 네 얘기를 잠자코 들었다. 네가 무슨 얘기를 하든 간에 그때 나는 사과할 다짐을 했었으므로 누가 먼저 말을 꺼내는 건 중요치 않아 우선 듣기로 했었다.

"휴… 내가 하려고 했던 말은 이게 아닌데, 참…"

"…"

"미안해."

너는 담담히 말하는 것 같았지만 무언가를 주저하며 계속 말을 흐렸다. 당시 담담히 듣던 나는 네 얘기가 끝나지 않을 거 같아 결국 서서히 입술을 열었는데, 그 끝에서 너는 내 결심을 무너뜨렸다. 홀로 애태우며 한 다짐이 무색하게 네가 먼저 사과를 건넨 거였다.

"정말 미안해… 그저 네가 좋아서 했던 행동인데, 그게 너한테 상처를 줄지는 몰랐어…"

"…"

"미안… 나 참 제멋대로지? 이기적이고?"

계속 사과를 건넸던 너는 결국 감정이 북받쳐서 흐느끼기 시작했지만, 나는 아무 말 없이 네 팔만을 토닥였다. 말하는 거보다 행동으로 너를 위로하는 게 더 나을 거만 같아 말하는 대신, 힘껏 나를 끌어안은 너의 팔만을 토닥였다.

흐느끼는 소리보다 에어컨 소리가 더 커질 때쯤, 나를 끌어안은 너의 팔이 풀렸다. 나는 네가 잠든 줄만 알고 네 쪽으로 몸을 돌린 뒤 너를 끌어안았다. 네가 잠만큼은 편히 자도록 내 품에 너를 끌어안은 거였지만, 너는 스르륵 눈을 뜨더니 나에게 네 숨결을 불어넣었다.

국화 향이 너의 숨결에 은은히 섞여 나며, 이후 우리는 말없이 행동으로 서로 하나둘씩 연결했다. 갓 스물하나가 된 우리에게 그누가 이전에 알려준 적은 없었지만, 우리는 본능이라는 두 글자에 서로 자연스레 연결했다.

눈빛과 몸짓, 그리고 서로 그동안에 다르게 그려졌던 세상까지 우리는 서로의 모든 걸 하나로 연결했다. 그 끝에서 우리는 마침내 서로의 체온까지 하나로 연결했는데, 모래사장을 걷는 것만 같았다.

발걸음을 옮길수록 따사로움이 뜨거움으로 바뀌면서 우리를 녹였지만, 잡힐 듯 잡히지 않는 부드러움에서 헤어날 수 없었다. 금방이라도 융해될 것 같았지만, 그 기분에 계속 맡기고 싶어 발걸음을 옮길수록 속력을 높이게 됐다. 그렇게 마침내 목적지에 도착하며 걸음을 멈췄을 때, 우리의 화원에는 마침내 화려하다 못해 찬란한 국화가 처음으로 피어났다.

검은색 하늘에 붉은색 물감이 뿌려질 때쯤, 우리는 서로 하나의 세계로 이었던 화원에서 일어나 해변으로 나왔다. 걷는 동안 하늘은 붉은색에서 주황색, 그리고 원래의 하늘색으로 변했는데, 그제야 우리는 원래의 웃음을 되찾을 수 있었다. 그렇게 2016년 8월 2일, 흰색 해국이 피어오른 대부도 해변에서 우리는 웃는 모습에 하나의 그림으로 완성됐다.

제6화 애정이 깊어지던 코스모스가 핀 어느 가을

2019년 10월 26일, 중간고사가 어제부로 끝났다. 다음 주부터 과제 시즌인 만큼 이번 주 주말에는 자취방에 틀어박힐 예정이었다. 절대 방 안에서 안 나갈 예정이었지만, 사람들이 나를 가만히 내버려 두지 않았다. 오늘이 동아리 창립제였던 게 그 이유로, 동아리의 현재 회원뿐만 아니라 역대 회원들까지 참여한 만큼 자리를 빠질 수 없었다.

"야! 김민재!"

"김민재! 오랜만이다? 동그라미 안경으로 바꿨네?"

"다들 잘 지냈어?"

창립제 시간이 되며 동아리방을 방문하자마자 익숙한 얼굴들이 보였다. 엊그제까지만 해도 같은 술자리를 보냈던 만큼 무척이나 반가웠지만, 이제 생일이나 명절에만 안부를 주고받는 사이가 됐던 만큼 한편으로 쓸쓸함도 감출 수 없었다.

청춘을 담은 건배사로 영원을 약속했던 이들과 이제는 기억에서만 함께할 수 있게 된 데 있어 세월이 야속하게 느껴졌다. 좋은 자리인 만큼 애써 무딘 척 웃음을 지었지만, 얼마 못 가 표정은 다시 무표정으로 변했다.

"야! 김민재! 김설화는 어디 갔어?"

"그거를 왜 민재한테 물어봐?"

"둘이 사귀잖아!"

"진짜!? 언제부터?"

그러나 무표정은 얼마 못 가서 썩어갔다. 너의 계절이 머지않은 만큼 사람들이 너를 찾은 거였다. 조금만 생각하면 너와 다시 재회했던 계기도 동아리인 만큼 연인이던 나에게 너를 묻는 게 이해될 법도 했다. 하지만 아직 너의 흔적이 지워지지 않았던 만큼 나는 감정의 소용돌이가 불며 서서히 분노가 타올랐다.

"설화 언니 저번 학기에 졸업하자마자 바로 취직했잖아요! 취직한 지 얼마 안 돼서 오기 힘들지 않을까요?"

"아, 그래? 근데, 어디에서 회사 다니길래 저녁 6시까지 못 오는 거야?"

"고향에서 취직했으니까 광주 아닐까요? 민재 오빠, 맞죠?"

"어? 어…."

"멀긴 머네… 어쩔 수 없지!"

드디어 분노가 폭발할 때쯤, 구석에 잠자코 있던 유명진이 대신 얘기하며 상황을 무마시켰다. 내가 들어온 뒤부터 조용하게 있던 그녀가 나를 변호한 거였다. 처음에는 괜히 나로서 분위기를 망치지 않게 해준 데서 고마움을 느꼈지만, 시간이 지날수록 여름의 기억에 미안함만이 뇌리에 맴돌았다.

제아무리 주는 게 사랑이라 한들 사람은 기대를 저버릴 수 없는 법이다. 그러나 나는 그녀의 기대를 져버렸고, 이유로 그녀는 도와주지 않고 오히려 되갚아줄 수도 있었다. 적어도 나라면 그렇게 갚아줄 법했으나 그녀는 그녀에 세례명답게 여전히 나를 배려했다.

내게 넘쳐흐를 정도로 과분한 배려를 받은 뒤, 나는 그녀의 노력이 헛되지 않도록 행동하기 시작했다. 사람들 틈에 아무렇지 않은 척, 태연한 척 웃음을 지으며 좋은 자리에 걸맞은 분위기를 꾸려나갔다. 평소라면 실없는 농담조차 안 할 내가 의미 없는 농담을 사람들과 주고받았는데, 한편으로 아려오는 마음은 노력할 수 없었다.

네가 나에게 던진 숙제처럼, 내가 그녀에게 대체 무슨 존재이길래 그녀가 계속 대가 없는 희생을 치르는지 몰라 가슴이 아팠다. 사랑을 저버린 사람에게 무슨 마음으로 배려했는지 몰라 곧장 그녀에게 이유를 묻고 싶었지만, 두 번 다시 그녀에게 상처를 주고 싶지 않아 묻는 대신에 애꿎은 술로 아린 마음을 계속 소독했다.

"저 먼저 갈게요!"

"벌써? 오랜만에 만났는데 더 마시지…."

"흐흐… 더 마시면 제가 감당 안 될 거 같아서 그래요."

소주잔이 옆 사람 거와 바뀐 줄도 모르고 마실 때쯤, 결국 먼저 자리를 박차 집으로 향했다. 세상이 알코올로 점철되며 당시 기분이 좋을 법도 했지만, 집을 향할수록 서늘한 바람이 반대로 불며 오히려 가슴이 점점 더 아려왔다.

가슴에도 성에 안 찼는지 바람은 눈까지 아리게 만들었고, 끝내 눈물을 흘리게 하였다. 나는 거리에 없는 사람들을 의식한 채 애써 눈에 무엇이 낀 척 눈을 비비며 집으로 향했지만, 한 번 흘린 눈물은 멈출 생각이 없었다.

"오빠!"

"… 유명진?"

"하… 왜 이렇게 빨리 걸어요?"

"뒤풀이 안 끝났을 텐데… 왜 온 거야?"

이슬비 같이 내리던 눈물이 드디어 소나기처럼 내릴 때쯤, 뒤에서 청아한 목소리가 들렸다. 기대하면 안 되나 기대하게 하는 목소리가 들려 나도 모르게 고개를 돌려보니, 가을비에 흘러간 줄만 알았던 그녀가 서 있었다.

반가움에 순간 우는 거도 잊은 채 미소가 지어졌지만, 미안함과 그 너머 죄책감에 미소는 물론 표정까지 굳어졌다. 이유를 알면서 그녀에게 이유를 물어봤는데, 그녀는 대답 대신 미소로 대답했다. 흩날리는 은행잎보다 더 환한 빛으로 대답하며 그녀는 나에게 서서히 다가왔는데, 내 눈물을 본 건지 나를 살포시 끌어안았다. 서늘한 바람보다도 차갑게 대한 나는 그 따뜻함에 결국 녹아내리며 애써 감춘 눈물이 다시 흘러내리기 시작했다.

"좀 걸을까요?"

눈물이 고갈되며 훌쩍이는 소리만이 거리를 메울 때쯤, 그녀는 기다렸단 듯 이번에도 내게 먼저 얘기했다. 하지만 이전과 달리 그녀가 말하며 지은 미소에는 애써 지은 듯한 느낌을 감출 수가 없었고, 이후 나보다 앞장선 몇 걸음에서도 쓸쓸함이 묻어났었다.

"안 좋아해도 돼요."

"…어?"

"안 좋아해도 된다고요. 그냥, 나 혼자 좋아하고 나 혼자 정리할게요. 그러니까… 부담 갖지 말고 친한 오빠 동생 사이로 남았으면 좋겠어요. 영영 안 보는 거보다 가끔 부담 없이 볼 수 있는 사이, 그보다는 더 안부를 주고받는… 그런 사이로 남았으면 좋겠어요."

멍하니 허공만을 응시한 채 걷던 그녀는 이내 결심이라도 선 듯 한숨을 크게 한 번 내쉬더니 걸음을 멈춘 채 나를 쳐다봤다. 이내 애써 태연한 척 미소를 띤 채로 내게 고백했지만, 미소 끝에 떨린 입꼬리까지는 감추지 못했다. 나를 무덤덤하게 쳐다보던 눈가 역시 마찬가지로, 눈시울이 붉어지며 끝내 맺힌 눈물까지는 어찌하지 못했다.

"바람이 건조하나? 왜 눈물이 나지?"

"…"

"눈물이… 왜…."

그녀는 정말 솔직했다. 아직 나와 끝낼 때 마음이 남을 것 같았는지 눈물을 흘리기 시작했다. 처음에는 바람을 핑계 삼아 눈물을 닦아냈지만, 일렁이다 못해 흐르는 눈물까지는 막을 수 없어 끝내 주저앉아 흐느끼기 시작했다.

내 기억에서 적어도 우는 모습을 남겨주기는 싫었는지 그녀는 우는 동안 두 손으로 얼굴을 감쌌다. 그녀답게 마지막까지 나를 위해 배려했던 건데, 평소라면 솔직함을 드러내지 않았을 거다. 하지만 그녀의 눈물이 당시 나의 진심을 이끌며, 그녀가 이해를 못 할지언정 나 또한 마침내 솔직히 고백했다.

"안 좋아하는 거 아니야."

"… 네?"

"나도… 너 좋아한다고. 한순간에 감정으로 너한테 키스한 것도 아니고, 하룻밤 보내려고 한 것도 아니야. 다만… 마음에 걸리는 게 있는데, 그게 무엇인지 모르겠어. … 이기적인 거 아는데, 정말… 조금만 더 생각할 시간을 줄 수 있을까?"

그 끝에서는 나조차도 허무맹랑했다. 누군가를 좋아하는데 무언가가 걸리는 게 있는 걸 고백한 게 정말 좋아하는 사람의 진심이 맞나 싶었다. 너무 여과 없이 솔직히 고백한 거만 같아 나 자신이 한심했는데, 그녀는 어느새 눈물을 그친 채 진지한 표정으로 나를 바라봤다.

"그렇다면… 저희는 지금 무슨 사이예요?"

"잘…"

"모르겠다 얘기하지 마요. 확실하게 얘기해줘요. 그래야만 나도 어떻게 할지 결정할 수 있으니까."

한동안 일렁이는 바람만이 거리를 채우며, 그녀의 가슴이 서늘하다 못해 냉랭해진 건지 그녀는 내게 우리 사이를 묻고서는 확실하게 할 것을 얘기했다. 마냥 해맑을 줄만 알았던 그녀가 차갑게 대하자 순간 당황스러웠지만, 이내 나 또한 냉랭해졌다.

"우리 며칠이지?"

"… 무엇이 며칠인데요?"

"사귄 지 며칠…"

"풋!"

차가워진 머리로 두세 차례 생각한 뒤, 마침내 그녀에게 나의 결정을 얘기했다. 하지만 예상보다 더 나갔던 질문 때문일까? 그녀는 내 얘기가 채 끝나기도 전에 웃더니 끝내 주체하지를 못했다. 그 모습에 의중을 몰랐던 나는 당황한 기색을 감추지 못했지만, 그녀의 웃음은 도무지 그칠 기미가 보이지 않았다.

"왜… 웃어? 농담 아니라 진심…"

"알고 있어요."

"아니, 나는…"

"하… 가요. 너무 늦었으니까."

내 얘기를 마냥 가볍게 생각한 거만 같아 웃는 이유를 묻고서는 농담이 아니라 진심인 걸 얘기하려 했었다. 적어도 가슴이 아닌 머리가 하는 얘기라는 걸 말하려 했지만, 그녀는 이미 알고 있음을 얘기하며 먼저 갈 것을 얘기했다.

"사랑해."

"… 네?"

"… 사랑해, 정말…."

"…"

그대로 가면 왠지 아는 사람보다 못할 사이가 될 거만 같았다. 사랑에 서툴고 사람에게 서툰 나였지만, 그때만큼은 말하지 않아도 알 수 있었다. 이유로 이미 진도는 꽤 나갔고 진심은 다 전했지만, 다시 원초적으로 돌아가 말하지 않았던 세 글자, 그러나 연인이라면 꼭 말해야 했던 세 글자를 전했다.

머뭇거린 끝에 용기를 내서 진심을 전했지만, 그녀는 내 진심을 들은 뒤에도 여전히 웃음을 멈추지 않았다. 무엇이 그렇게 웃겼던 건지 지금도 알 길은 없지만, 확실한 건 그녀의 웃음은 원래 알던 모습으로 점점 변해갔다. 그제야 마음이 놓인 나는 여느 연인처럼 먼저 그녀의 손을 잡은 뒤 나란히 걷기 시작했다.

"이제 가."

"아뇨, 오빠 먼저 들어가는 거 볼래요."

"이러다 지하철 끊겨…"

"끊기면 오빠 집에서 자고 가죠! 아, 걸리는 게 있어서 또…"

"그만!"

"갈게요!"

아쉽게도 걸음의 종착지인 건대입구역까지는 거리가 짧아 머지않아 도착했다. 하지만 찰나에 둘이 아닌 하나가 된 기분에 서늘한 바람마저도 상쾌하게 느껴졌고, 익숙한 거리마저도 왠지 설레게 느껴졌다.

그녀도 마찬가지인지 여느 연인과 같이 헤어지는 게 아쉬운 걸 티 냈었고, 우리는 실랑이 아닌 실랑이를 펼치다 자정에 도착했다. 전철을 타지 않으면 그녀가 정말로 집에 못 갈 수도 있었던 상황까지 도착한 거였지만, 운명의 여신은 거기서 이야기를 함께 써 내려가는 걸 멈추게 했었다.

일요일의 그녀는 토요일과 달리 마지막에 원래 알고 있던 생기발랄한 미소를 끝으로 사라졌다. 그 모습에 나도 모르게 저절로 미소를 짓게 됐지만, 표정은 얼마 가지 않아 다시 굳어졌다. 서늘한 바람에 머리가 차갑게 변해가며 숙제, 즉 마음에 걸린 '무언가'를 찾아야만 한다는 생각이 떠오른 거였다.

여느 숙제라면 낯빛이 변할 일조차 없었을 거였다. 애써 웃은 채로 끝냈겠지만, 이번 숙제는 최소 지난 몇 년, 어쩌면 인생 전부를 뒤져야만 할 숙제였다. 심지어 끝낼 수 있다는 보장조차 없는 숙제였고, 포기한 뒤 안고 살아갈 수도 있는 숙제였다. 하지만 이번만큼은 확실히 끝내고 싶었다. 많은 시간이 걸리며 제자리를 걷는 데도 포기할 때보다 끝내지 못할 때 남는 후회가 더 적을 거만 같았다. 적어도 그래야만 내가 너의 흔적에서 벗어날 거만 같았다.

생각은 곧 다짐이 되어 나는 그녀와 헤어진 뒤, 자취방에 바로 들어가는 대신 잠시 걷는 걸 결정했다. 무작정 거리를 걸으며 생각에 잠길 걸 결정했는데, 잠시 걷는 게 어느 순간 한참 걸으며 한강까지 도달했다. 너무 멀리까지 오기도 했고, 어제와 다르게 오늘은 트렌치코트에 니트를 껴입어도 추위를 외면할 수 없어서 결국 잠시나마 생각을 멈출 걸 결정했다.

이후 주위를 둘러봤는데, 사람들은 춥지도 않은 건지 돗자리를 깔고 앉은 채 이야기에 불을 지피는 중이었다. 아무리 주위를 둘러봐도 나 혼자 먼저 겨울이 온 것 같았지만, 끝내 외로움까지 느끼려던 찰나에 혼자만 온 게 아닌 것을 발견했다. 사람들이 무심코 그냥 지나칠 법한 거리 한편에 코스모스 한 송이가 때를 놓쳤는지 겨울과 가까운 지금에서야 홀로 펴있었다. 그 모습에 처음엔 나와 같은 처지인 거만 같아 마냥 연민만을 느꼈지만, 나와 달리 의연히 계속 붉게 타오르고 있는 걸 보며 연민은 곧 위로로 바뀌었다.

처지와 상관없이 나도 다시 불타오를 수 있을 거라고 얘기한 것 같아 지금 힘든 시간에 위로는 물론, 감사함까지도 느끼게 하였다. 무엇보다 한강에서 피어오른 코스모스의 모습은 너와 계절을 거스른 채 애정이 깊어지던 걸 생각나게 하며, 무거운 이 계절에 조금이나마 숙제를 향한 발걸음을 가볍게 했다.

*

2016년 9월 1일, 처음으로 아침에 혼자 아닌 둘이서 달력을 넘겼다. 매번 지겹게 넘긴 달력도 너와 함께 넘기며 새롭게만 느껴졌는데, 이것은 시작에 불과했다.

아침에 눈을 떴을 때 혼자가 아니라 너와 함께 있던 일부터 마냥 낯설었던 스킨십을 자연스레 하게 됐던 일까지 우리의 화원 속에 새로움이란 꽃송이는 날이 거듭될수록 지지 않고 오히려 무르익어 갔다. 한 잎, 때로는 몇 잎씩 채색됐는데, 사람들의 눈에도 우리의 꽃송이가 점점 농익는 게 보였는지 우리 둘이 있을 때마다 자리를 비켜줬다.

"김민재! 오늘 술 마실 거지?"

"나? 어…"

"야야, 저기 봐…."

"어? 아… 먼저 간다!"

때로는 과분할 정도로 사람들에게 많은 배려를 받았는데, 덕분에 우리의 꽃송이는 무르익는 데 온전히 집중됐다. 그러나 특별함이 매일 되면 그 빛을 잃어버리듯이 우리의 새로움은 어느 순간 시들어가고 있었다.

꽃이 시들지 않기 위해서는 색다름이라는 영양제가 필요해 보였는데, 때마침 개강한 지 얼마 지나지 않아 우리에게 영양제가 주어졌다. 그해 9월 14일부터 무려 닷새 동안 추석이라는 시간이 주어졌던 거로, 심지어 공강인 월요일까지 합치면 무려 여섯 개의 영양제가 주어졌다.

평소라면 분명히 지루했을 귀성길이었다. 버스로 내려갈 때마다 3시간 반이 걸린 거리가 명절인 만큼 곱절 가까이 걸려 피곤할 법했다. 하지만 반복되는 일상에서 벗어난 건 물론, 혼자 아닌 둘이 되어 내려가는 만큼 당시 귀성길은 우리의 앞날을 축복하는 꽃길과 같이 느껴졌다.

예상대로 도로가 정체되며 무려 일곱 시간 만에 터미널에 도착했다. 우리는 중간에 약 15분 정도를 휴게소에 들린 거 외에는 속절없이 버스에 앉아 있어 지칠 법했지만, 서로 오순도순 얘기를 나누다 보니 외려 시간이 빠르게 흐른 거만 같아 야속했다.

"이제 가."

"싫어, 너 들어가는 거 먼저 볼래."

"이러다 날 새겠어."

"그럼… 같이 날 새던가?"

하루 24시간 내내 붙어 있으며 다소 피곤함을 느낄 법한 우리는 막상 헤어질 때쯤, 아쉬움에 집으로 가는 버스를 여러 대 보냈다. 만약 서로의 본가가 예전과 같이 함께 붙어 있었다면 집까지 함께 갈 수 있었지만, 그대로 북구에 사는 나와 달리 너는 남구에 살며 터미널 정류장에서 헤어져야만 했다.

파란 하늘이 단풍과 함께 익어갈 때가 돼서야 우리는 겨우 헤어졌지만, 이때마저도 아쉬움에 몇 차례 손을 잡고 놓는 걸 반복했다. 심지어 가위바위보를 진 사람이 먼저 가기로 한 내기 후 네가 먼저 가는 걸 보고 집으로 향했지만, 그때까지도 아쉬움이 가시지 않아 일부러 집까지 한참 돌아가는 버스를 탔었다.

아쉬움은 이처럼 잔향이 돼서 한동안 나를 맴돌았는데, 시간이 지날수록 포도주처럼 되레 진해졌다. 오랜만에 가족과 친척, 고향 친구들을 만났으나 그들에게 집중하지 못하게 만들었고, 웃다가도 끝내 미소까지 사라지게 하였다.

하루 이틀은 애써 버텼지만, 사흘이 지날 무렵부터 못 버틸 것만 같았다. 온통 네 생각에 덧없이 갔던 시간조차 안 가기 시작했고, 익숙함에 너의 소중함이 무뎌진 것만 같아서 내가 원망스럽기 시작했다. 당시 영양제가 절반이 넘게 남았지만, 너의 소중함을 다시금 깨달은 내게 더는 영양제가 필요 없었다. 대신 영양이 제대로 들어온 걸 네게 보여줄 필요만 있을 뿐이었고, 시간을 다시 제자리로 돌려놓을 필요만 있을 뿐이었다.

"여보세요?"

"뭐해?"

"집에서 쉬고 있지. 왜?"

"그냥… 보고 싶어서."

"뭐야, 오글거리게…. 흐흐, 며칠 뒤에 보니까 참아!"

"아니, 지금 볼래! 잠시라도 좋으니까 나오면 안 돼?"

"어? 언제…?"

"지금!"

마침내 다섯째 날 정오, 하루만 더 버티면 됐으나 너에게 전화한 뒤 곧 만날 걸 얘기했다. 지금 생각하면 굉장히 예의에 어긋났지만, 더 기다리면 너로 부풀어 오른 가슴이 터질 것 같아 선은 안중에도 없었다. 무엇보다 매일 밤 통화하고 틈틈이 메시지도 주고받았으나, 이는 오히려 너를 보고 싶다는 마음만 생기게 하였다.

다행히 너는 이런 내 마음을 이해하며 내가 오는 걸 허락했다. 대신 집 앞에 마땅히 만날 때가 없으므로 도서관 앞으로 올 것을 얘기했는데, 처음에 나는 도서관 앞에서 이야기나 나눌까 싶었다. 그러나 너는 나를 만나자마자 씩 웃더니 내가 왔던 방향과 반대로 걷기 시작했다.

길은 왔을 때도 제법 경사가 있었으나 걸을수록 가팔라졌는데, 내리막길이 시작되는 삼거리까지 간 뒤에야 너는 발걸음을 멈췄다. 그렇지만 이는 도약을 위한 숨 고르기로, 너는 머지않아 반대편에 경사가 30도가 훌쩍 넘은 샛길로 다시 발걸음을 옮기더니 한동안 발걸음을 멈추지 않았다.

올라가는 내내 초가을인 만큼 습기까지 남아 있어서 힘들었다. 애써 태연한 척했으나 어느 순간부터 주변은 안중에도 없었는데,

이마에 땀이 송골송골 맺히기 시작할 때쯤 네가 발걸음을 멈췄다. 비로소 숨이 골라졌던 나는 점점 주변이 보이기 시작했는데, 힘든 감정이 사라지는 건 물론이고 감탄이 자연스레 자아내졌다.

발걸음의 끝에 생전 본 적 없는 전망대가 있던 거로, 언제부터 도심 속에 자리를 잡았던 건지 세월의 흔적이 눈에 그대로 보였다. 마치 과거로 돌아간 거만 같은 기분까지 자아내지며 한동안 나는 우두커니 서 있었지만, 너는 아직 끝나지 않았음을 얘기하며 나를 전망대 안으로 이끌었다.

내 손을 붙잡은 거조차 잊은 채 뛰다시피 나를 엘리베이터 너머 정상으로 이끌었는데, 얼마 안 가 정상에 도착하자 네가 왜 신이 났는지 알 수 있었다. 엘리베이터에서 몇 걸음 앞으로 나가자마자 광주가 한눈에 펼쳐진 거였다.

서늘하지는 않으나 시원한 바람까지 불며 이마에 송골송골 맺힌 땀방울을 간지럽히는데, 괜스레 가슴이 두근거리기 시작했다. 매일 보던 거리도 그날만큼은 낯설게 보이며 설레게 했는데, 너도 나와 같았는지 여섯 살짜리 꼬맹이처럼 이곳저곳을 설명하기 시작했다.

"저기가 전남대학교 병원! 저기가 조선대학교! 저기가…"

"…"

"저기가… 뭐야!?"

"사랑해."

"… 어?"

그때의 신났던 네 모습은 가을의 따사로운 햇살도 통과할 정도로 투명했다. 티끌 하나조차도 안 보일 정도로 맑았는데, 그 순수함은 여태껏 네게 볼 수 없었던 새로운 모습이라 색다름을 느꼈던 나는 너를 끌어안은 채 당시 우리를 아우르는 세 글자를 전했다.

처음에 남사스러운 듯 너는 주변을 살폈지만, 마냥 싫지는 않은 건지 이내 머리를 내 품에 기댔다. 그리고 혼자 계속 옹알거렸는데, 그 소리를 제대로 들으려고 너에게 머리를 숙이자 이번에는 네가 사랑을 전했다. 너의 순수함을 내게 불어 넣었던 거로, 그 순수함에 우리의 화원 속에 새로움이란 꽃송이는 한결 더 싱그러워졌다.

우리의 애정이 이처럼 한가위 속 한층 더 풍성해진 뒤, 몇 번의 강의를 들으니까 어느새 중간고사 기간이 됐다. 이때 또한 직전에 학기처럼 동아리방이나 도서관 열람실에서 공부했지만, 유명진 등 기존의 동기 외에도 너와 너의 동기들까지 추가되며 분위기는 달라졌다.

다들 내일의 자신들에게 미래를 맡긴 채 오늘의 청춘을 즐기러 갔던 거로, 노래방이나 당구장, 혹은 산책하러 갔다 안 돌아오는 게 일쑤였다. 아직 다들 저학년이다 보니 저녁을 먹고 나서 자연스레 다른 길로 샜던 건데, 삶의 무게가 다른 너와 연인이던 나는 이에 끌려가지 않은 채 항상 바로 공부하러 갔다.

돌이켜보면 한 번뿐인 새내기였던 만큼 그들을 종종 따라가고 싶은 욕망이 피어오르긴 했었다. 그들처럼 청춘을 즐기고 싶었지만, 당시 내 세상은 온통 너로만 그려져 있던 만큼 네가 없는 건 상상조차 할 수 없었다. 무엇보다 잠시라도 나의 현재에서 너를 지우고 싶지 않았으므로, 애써 유혹을 참은 채 너의 곁에서 묵묵하게 펜을 잡았다.

여름보다 겨울이 가까워진 무렵, 카페인부터 구겨진 종이, 쓰다 버린 볼펜 등에서 해방됐다. 마찬가지로 불과 며칠 전까지 더불어 아침을 맞이했던 무리에게서도 해방되며 다시 우리 둘만의 시간을 보내게 됐다.

시험을 오래전부터 준비했던 만큼 우리는 잠시나마 쉴 법했지만, 네가 그럴 수 없었다. 가을과 함께 시작하게 됐었던 근로장학생도 한몫했으나 토익, 컴퓨터활용능력 등 머지않아 다가오게 될 취업 또한 준비해야 하며 잠시라도 쉴 틈이 없던 거였다. 나도 연인이란 이유로 아직 새내기이나 너와 덩달아 쉬지 않고 달렸지만, 단둘이 있게 된 만큼 신이 났다. 그러나 너는 그렇지 못했던 건지 채운이 일렁이던 10월 마지막 금요일에 새로움이란 꽃송이를 먼저 절정에 이르게 하였다.

그날 오후, 나는 1학년 학과 기초 강의인 '조경 생태학'을 듣는 중이었다. 너는 2학년이었던 만큼 이 강의를 진작에 들었을뿐더러 근로장학생을 하느라 도서관에 있었다. 우리는 시간표를 대부분 맞췄던 만큼 이 시간은 서로가 떨어져 있던 얼마 안 된 시간 중 하나였는데, 세 시간짜리 강의가 이날 무려 한 시간이나 일찍 끝나며 나는 오후 세 시부터 여섯 시까지 혼자 있을 수 있게 됐다.

간만에 시간적인 여유가 생겨 집에서 잠시 쉬려고 했지만, 동기들이 강의가 끝나자마자 이때다 싶었는지 나를 노래방에 끌고 가려 했었다. 평소에는 너와 항상 다녔던 만큼 동기들과 지냈던 시간은 줄었는데, 티는 안 냈으나 동기들은 내게 내심 서운했는지 이날 꽤 집요하게 붙들었다. 나는 미안한 마음에 결국 잠시나마 이들과 시간을 보내기로 했지만, 당시 너는 내 세상 어느 곳에나 존재했다.

"야! 김민재!"

"어? 김설화! 왜 여기 있어!?"

"왜? 여기 있으면 안 돼?"

"아니, 지금 근로장학생 하는 중 아니야?"

"저번 주에 대타한 거 때문에 오늘 빨리 끝내주던데? 그것보다 애들이 기다리는 거 같은데, 약속 있어?"

"아… 아니, 없어! 그냥 인사하려고 기다리는 거 같은데?"

"그래? 그렇다면… 따라와!"

오랜만에 동기들과 시간을 보내고자 강의실을 나간 순간, 강의실 앞에 네가 있었다. 예상치 못한 상황에 나는 당황했지만, 동기들은 이런 일이 당연한 듯 인사를 건네더니 자리를 자연스레 비켜줬다.

중간고사 기간과 마찬가지로, 그때도 솔직히 동기들을 따라가고 싶었다. 너만큼 소중한 동기들이라 이들과 역시 좋은 기억을 쌓고 싶었는데, 이후 너의 고백을 들은 뒤에는 도리어 너를 따라간 게 잘한 선택인 걸 느꼈다.

동기들 대신 여느 날처럼 너와 학교에서 나온 뒤, 집으로 갈 줄 알았다. 하지만 너는 건대입구역 너머까지 나를 이끌더니 광장동 입구, 뒤이어 서울 바깥까지 이끌었다. 당시 동쪽으로 계속 가길래 내심 강원도까지 갈 줄 알았지만, 예상보다 빠르게 구리에서 너는 내리자고 했다.

그날 평균 기온은 15도 안팎일뿐더러 이슬비까지 내려서 제법 추웠다. 겨울과 가까웠던 만큼 바람도 상당히 불어서 체감 온도는 그보다 더 낮았지만, 버스에서 내리자마자 너의 목적지를 발견하며 추위에도 아랑곳하지 않은 채 저절로 미소를 짓게 됐다.

우리의 눈앞에 코스모스 군락이 펼쳐져 있었다. 가을 단풍보다 선명해진 붉은 코스모스부터 너를 닮아 새하얀 코스모스까지 다채로운 화원이 형성되어 있었다. 그 모습은 마치 우리 미래를 얘기한 거만 같아 괜히 가슴을 두근거리게 했는데, 코스모스 너머로 가늠할 수 없이 펼쳐졌던 가을 한강의 지평선은 마치 우리 화원의 크기 같아 끝내 가슴을 주체할 수 없게 했다.

구름 사이로 비쳤던 햇살부터 서늘하나 마냥 춥지 않았던 바람, 우리와 같이 코스모스를 보러 왔던 연인들과 그 결실인 가족들까지 많은 요소가 그날의 우리를 빛나게 만들었다. '행복'이란 단어 외엔 설명할 수 없을 정도로 그날은 찬란했는데, 너는 꽃집 아가씨답게 코스모스를 보자마자 신이 나서 내게 설명을 시작했다.

"분홍색 코스모스 꽃말이 무엇인지 알아?"

"사랑?"

"사랑도 맞는데, 키스나 포옹도 있어. 그렇다면 빨간색은?"

"사랑?"

"분홍색보다는 더 강렬한 사랑! 그렇다면 보라색…"

"사랑?"

"찍지 말고 한 번 맞춰…"

"사랑해."

설명하는 너를 보며, 다른 말은 떠오르지 않았다. 미소를 머금다 못해 활짝 피며 생긴 너의 팔자 주름부터 꽃을 가리키던 너의 손

끝, 햇빛에 비쳐 보인 너의 얼굴에 솜털까지 '사랑'이라는 두 글자 이외에는 형용할 수 없었다. 어느 유럽 전설처럼 될 수만 있었다면 너는 분홍 코스모스, 나는 하얀 코스모스가 되어 우리의 순애보를 지키고 싶었다. 행복으로만 가득 찬 우리의 이야기를 우주(cosmos)와 같이 광활하나 조화롭게 보이며 모두에게 부럽게 하고 싶었다.

행복과 사랑으로 가득 찬 시간을 보내다 보니 우리는 머지않아 석양이 절정에 달한 황혼을 맞이했다. 자연의 일부 중에 하나로써 우리의 감정도 절정에 달했지만, 끝내 온몸을 불사르고 사라지는 태양과 달리 우리의 감정은 계속됐다. 집으로 돌아갈 때도, 술잔을 나눌 때도 꺼지지 않은 채 계속됐는데, 그날에 날씨처럼 우리에게 무지개가 일렁였던 뒤에서야 드디어 우리의 감정은 꺼졌다. 마치 거대한 불길이 모든 것을 집어삼키듯 이후 우리는 곧장 밤의 어둠 속으로 사라졌는데, 다시 나타났을 때는 창가의 이슬이 맺힐 무렵이었다.

차가운 기운 속 느껴진 따스함에 잠에서 깨자 시계는 새벽 다섯 시를 알려줬다. 주말인 만큼 움직이기에는 아직 일러 나는 검은색으로 다시 사라지려 했지만, 곤히 자는 줄만 알았던 네가 어느새 내 쪽으로 고개를 돌리더니 먼저 내게 말을 건넸다.

"지금 몇 시야?"

"5시."

"아… 머리 아파. 더 잘래…."

그러나 어제 술에 사랑을 섞어 마신 너는 숙취에 머지않아 다시 검은색으로 사라지려 했었는데 문득, 갑자기 어제 왜 코스모스를 보러 간 건지 궁금했었다. 평상시 계획에 어긋나는 걸 그 누구보다 싫어하는 너였으나 어제는 꽤 즉흥적이라 의아할 수밖에 없었다.

"자?"

"… 아니, 왜?"

"나 궁금한 거 있는데, 물어봐도 돼?"

"뭐?"

"어제 코스모스 보러 갔잖아? 근데, 평소에는 계획이 어긋나는 걸 죽는 거보다 더 싫어하면서 어제는 왜 즉흥적으로 간 거야?"

하지만 너는 내 질문을 듣고서는 다시 눈을 감더니 고개를 아예 반대쪽으로 돌렸다. 미동조차 하지 않길래 처음에는 대답할 마음이 없다 생각하며 다시 잠을 청하려 했었다. 애써 궁금함을 지운 채 다시 검은색으로 사라지려고 했지만, 너는 어제 일렁이던 무지개를 선명히 피우려고 준비하는 중이었다.

"너와 제대로 시작하고 싶어서."

"… 어?"

"사실, 처음 사귈 때까지만 해도 확신이 안 섰어. 순간적인 충동으로 사귄 것만 같아 후회까지 했었는데, 네가 나를 사랑하는 게 진심인 걸 알게 되며 머지않아 후회는 사라지더라."

"…"

"남들은 불같이 타오른 뒤 불같이 꺼지는데, 너는 이상하게 갈수록 더 타오를뿐더러 꺼질 기미가 안 보이더라고. 그래서 너라면 내 미래뿐만 아니라 우리의 미래도 만들 수 있을 것만 같았고, 조금이라도 더 많은 기억을 남기고 싶었어. 나중에 다시 볼 때 두껍도록,

그 크기만큼 우리가 사랑하는 걸 느끼고 싶어서 즉흥적인 걸 싫어하지만 한 번 무작정 간 거였어."

그날 너는 고백 중에 처음으로 '우리의 미래'를 얘기했다. 가볍게 시작했던 연애는 결코 아니었지만, 우리의 미래라는 말은 당시의 나에게 상당한 무게를 느끼게 하였다. 하지만 너도 나처럼 우리의 연애를 진지하게 생각하고 있던 걸 알게 되며, 한편 우리의 연애에 결실을 보고 싶어졌다. 이유로 네 말 따라 네가 고백한 순간마저도 기억으로 남기고자 어제 일렁이던 무지개를 먼저 피워냈다.

우리는 이처럼 코스모스가 핀 어느 가을, 추워지는 날씨에 아랑곳하지 않고 애정이 점점 불타오르며 깊어졌다. 영원을 희망했던 만큼 우리의 화원 속에 새로움이란 꽃송이도 절정에 이르며 화려하다 못해 찬란하게 빛났지만, 코스모스가 끝내 만족스럽지 못해 다른 꽃이 탄생한 거처럼 결국 첫사랑은 여느 꽃과 마찬가지로 끝내 져버렸다.

제아무리 사랑을 지필 수 있는 불쏘시개가 많다 한들 현실이란 추위를 막을 수 있는 벽이 없을 때 얼마든지 꺼질 수 있던 걸 당시 나는 몰랐다. 사랑이 사그라진 빈자리가 다시금 불타오른 데 사랑할 때보다 더 많은 노력이 필요하단 걸 스물한 살에 나는 몰랐다.

제 7 화 하얀색 튤립이 피어 있던 어느 봄

2019년 12월 20일, '조경 제도 및 표현 실습' 과제 제출을 끝으로 복학한 지도 어느덧 일 년이 지났다. 사실 시험은 어제 진작 끝났지만, 과제 제출로 남들보다 하루 더 늦게 끝났다. 이마저도 원래대로라면 어제 자정까지 교수님 방 앞에 걸린 바구니에 제출해야 했지만, 편법을 써 거의 날을 꼬박 새운 뒤에 제출했다.

대학을 나오니 시계는 어느덧 새벽 네 시를 가리키는 중이었다. 그 어디에도 불이 켜진 데가 없었는데, 항상 시끌벅적한 대학이 하루 만에 암전된 거였다. 대학을 다닌 지 절반이 지났지만, 이 분위기에 여전히 적응되지 않았던 나는 쓸쓸함을 느낀 채 집으로 발걸음을 옮겼다.

새벽마저 유난히 더 차갑게 느껴졌는데, 애수 속에서 걷다 보니 어느 순간 집에 도착했다. 하루를 거의 꼬박 새운 만큼 씻을 힘조차 없어 그대로 침대 안에 들어갔는데, 이때만큼은 하루 만에 변할 수도 있는 세상에서 잠시나마 벗어나고 싶어서 일부러 핸드폰을 꺼놓고 잠들었다.

하지만 일어난 지 한참이 지난 후에도 나는 매정한 세상을 받아들이기 싫어 일부러 침대 밖으로 나오지 않았다. 애써 검은색으로 세상을 칠한 채 누워 있었는데, 어느 순간 문을 두드리는 소리가 들리기 시작했다.

나는 처음에 다른 방인 줄만 알며 그대로 침대에 눌어붙어 있었지만, 초침이 세상을 향해 달려갈수록 소리가 선명해지며 그제야 내 방인 걸 깨달았다. 화들짝 놀랐던 나는 문 앞으로 나가서 누가 문을 두드리는지 확인했는데, 생각지도 못했던 인물이 서 있었다.

분명히 회사에 있을 시간인 유명진이 내 방문 앞에 서 있었던 거였다. 처음에는 머리가 멍해 잠시 문을 여는 걸 머뭇거렸지만, 점점 문을 두드리는 소리 안에 감정이 실리자 정신이 들며 곧 문을 열게 됐다. 얼떨떨한 한편 반가움에 환하게 웃은 채 그녀를 맞이했지만, 그녀는 그렇지 못한 건지 나를 보고서는 문에 실은 감정 그대로를 내 가슴팍에 내려치기 시작했다.

"아! 왜 때려!?"

"왜 때려? 왜 전화를 꺼놓아서 사람을 걱정하게 만들어!"

"아니, 꺼놓을 수도 있지… 그것보다 무슨 일이야?"

"무슨 일은 무슨! 퇴근하고 왔지! 지금 시간이 몇 시인데?"

그제야 정신이 들었던 나는 벽에 있는 시계를 확인했는데, 저녁 여섯 시가 훌쩍 넘어가 있었다. 스무 살에 멋모르고 술로 날을 샌 뒤 잤을 때도 이 시간에 일어난 적은 없었기에 순간 어떻게 할지 몰랐지만, 문 너머로 사람들이 우리를 응시하는 중이었고 그녀를 마냥 세워 놓는 건 아닌 것 같아 일단은 그녀를 집으로 들여왔다.

어떻게 할지를 생각하기 전, 준비부터 할 필요가 있어서 핸드폰 전원을 켜 놓은 뒤 화장실에 씻으러 들어갔다. 그리고 씻는 동안 일정을 계획했는데, 오늘이 금요일이고 머지않아 크리스마스였던 만큼 명동이 번뜩 생각나며 목적지를 바로 정했다.

문제를 해결하며 곧 기분 좋게 샤워를 마치고 화장실을 나왔다. 그녀와 오랜만에 데이트할 생각으로 괜스레 흥도 났지만, 방문을 열자마자 기분이 안 좋아지는 건 물론 화까지 났다. 그녀가 내 책상에 걸터앉은 채 멋대로 내 노트를 뒤적이고 있던 건데, 다행히 일기 대신 과제 때 그린 평면도나 입면도 등을 살펴보고 있었다. 그러나 제아무리 연인이라 한들 남이기에 허락 없이 남의 사생활을 들춰보는 건 기분 나빠 그녀에게 노트를 뺏은 뒤 버럭 화를 냈다.

"왜 남의 노트를 함부로 뒤져!?"

"… 오빠가 씻는 동안 심심하고, 또 오빠 집에 처음 온 거라서 이것저것 보다가 과제 노트를 발견해서 본 거였는데… 화날 줄은 몰랐어요, 미안해요….."

"… 알겠어, 화낸 건 미안. … 일단 나가자. 밥 안 먹었지?"

머리끝까지 화가 치밀어 올랐지만, 우리 집에 온 게 '처음'이라는 그녀의 말에 화는 곧 가시고 미안함만이 몰려왔다. 연애를 시작한 지 백 일이 훌쩍 넘었지만, 생각해 보니 정말 그녀를 내 자취방에

초대한 적이 없었다. 무엇보다 데이트할 때마다 밥 먹고 카페, 혹은 중간에 영화관이나 노래방만 갔을 뿐, 그 어느 데도 특별하게 갔던 데가 없었다.

비로소 나도 모르게 선을 긋고 있던 걸 깨달았는데, 과연 내가 했던 행동들이 사랑하는 연인끼리 하는 게 맞는 건지 의문이 들었다. **누군가를 진심으로 사랑하는 건지, 혹은 누군가의 부재로 그 자리를 메꾸려고 한 건지 확신이 안 섰다.**

정리되지 않은 생각은 결국 외출하는 내내 머릿속에 꽉 박혔다. 많은 질문과 답변이 머릿속에서 오고 갔지만, 역시 '**나에게 있어 너는 어떤 존재였을까?**'라는 질문에서 답변은 멈췄다. 아무리 오래 생각해도 답이 나오지 않자 답답한 마음에 저절로 한숨까지 나왔던 찰나, 어깨에 감촉과 더불어 왼쪽 팔을 감싼 기분이 들었다.

"오빠, 아직도 화났어요…?"

"어? 아니! … 생각 좀 하느라. 미안, 말이 너무 없었지?"

"… 아니에요."

내가 화난 줄 알고 그녀가 내게 애교를 부린 거였는데, 말하지 않았으나 대화 후 내가 무슨 생각을 하는지 눈치챈 거만 같았다. 얘기를 듣자마자 한쪽 입꼬리만을 치켜세운 건데, 그 표정에 순간 움찔했으나 다행히 그녀가 먼저 대화의 주제를 다른 걸로 바꿨다.

"아까 노트 보니까 과제랑 상관없이 꽃을 많이 그렸던데, 꽃이 좋은 거예요?"

"그렇지?"

"왜 좋은 거예요?"

"깊게 생각하지 않았는데, 음… '순간'이 '영원'으로 기억되는 게 의미 있어서 좋은 거 같아."

"… 무슨 말이에요?"

"하하, 말이 너무 어려웠나? 꽃은 정말 찰나의 순간 피고 지지만 사람들 기억 속에는 영원히 남잖아? 그리고 사람들이 모두 다른 거처럼 꽃들도 저마다 달라 이야기가 모두 다른 데, 그 이야기들을 볼 때마다 가끔 내가 마냥 의미 없는 존재란 생각이 들 때 위로가 돼. 한낱 자연의 일부 중 하나인 게 아니라 '다른 사람들과 같은 사람이나 그 누구조차 대체할 수 없는 사람 중에 하나이다.'라는 생각을 하게 만들며 또다시 하루를 살아가게 하니까 꽃이 좋은 거 같아."

앞서 노트에서 본 걸 바탕으로 화두를 바꾼 건데, 답변이 간단할 줄 알았으나 막상 나조차도 꽤 심오하여 놀랐다. 그녀도 마찬가지 인지 대답을 듣는 도중, 얼굴이 사뭇 진지하게 바뀌었다.

그녀는 생각에 잠기더니 고민 끝에 다시 질문을 던졌는데, 이어지는 대답 끝에 나는 생애 처음 듣는 질문을 받았다. 그 질문은 생각한 적이 없을뿐더러 아무리 생각해도 답이 나오지 않아 이번에는 내가 다시 생각에 잠기게 됐다.

"흠… 생각보다 심오하네요? 그렇다면, 오빠는 무슨 꽃이 되고 싶어요?"

"나? 음… 조경 기사?"

"그거는 '직업'이잖아요. '살면서 이루고 싶은 꿈', 그걸 묻는 거예요."

정확히는 이룰 수 없는 꿈이 되며 생각나지 않았다. 생각하게 된 이래로 그동안에 꿈은 단 하나였다. 김설화, 바로 너뿐이었다. 그저 너와 영원히 우리의 화원을 꾸려나가는 꿈 단 하나만을 꿈꾼 채 살아갔다. 하지만 우리의 화원은 기억 너머 저편으로 사라졌을뿐더러 그 흔적조차 시간이란 비바람에 점점 희미해지고 있었다.

'실현하고 싶은 희망이나 이상'이 아닌 '실현 가능성이 전혀 없는 헛된 기대'가 됐던 건데, 꽤 많은 시간이 지났으나 그때의 꿈이 짓밟힌 상처 때문인지 다른 꿈을 지금까지 꾼 적은 없었다. 무엇보다 노력으로 이뤄질 수 없는 게 있는 걸 알았던 뒤, 더는 상처받고 싶지 않아 기대를 품지 않기로 했었다. 하지만 사실대로 얘기할 수 없었다. 때로 진실 자체가 상처가 될 수 있었으므로 애써 생각이 나지 않은 척을 한 뒤 화두를 바꿨다.

"글쎄? 너무 어려운 질문이라 대답이 바로 나오지 않네? 맞다! 꽃 이야기가 나와서 문득 궁금한 건데, 너는 어떤 꽃이 좋아?"

"음… 튤립? 오빠 말대로 튤립을 볼 때마다 그 안에 담긴 이야기가 생각나며 다른 꽃들보다는 기억이 더 오래가는 거 같아요."

"무슨 이야기인데?"

"서양에서 전해 내려오는 설화인데, 옛날 어느 한 마을에 아름다운 소녀 한 명이 있었대요. 소녀는 왕자, 기사, 그리고 상인의 아들에게 청혼받았지만, 그 누구조차 선택할 수 없어 결정을 내리지 못했고 결국 세 젊은이는 기다리다가 지쳐 욕설을 퍼붓고 떠났대요. 하지만 소녀는 미움을 받았던 적이 없어서 놀랐던 나머지 그대로 병이 들어 죽었는데, 이 사실을 알았던 꽃의 여신이 가엾게 여겨

소녀의 영혼을 '튤립'으로 피어나게 하였대요. 그래서 꽃송이가 왕관 모양, 잎 모양이 칼, 알뿌리가 황금빛(돈)을 갖게 된 거래요."

"슬픈 이야기네⋯."

"원래 좋은 이야기보다는 슬픈 이야기가 더 기억에 남는 법이니까요. 저도 다른 얘기도 꽤 많이 들었지만, 이 얘기만큼 인상 깊은 건 없었던 거 같아요."

'들었다⋯.'

대화 끝에 그녀는 아차 싫었는지 가뜩이나 큰 눈이 휘둥그레졌다. 우리가 아는 사람 중 이 정도로 꽃의 이야기를 해줄 사람은 단한 사람밖에 없던 거였다. 하지만 이전에 그녀가 먼저 화두를 바꿔준 만큼 나는 짚지 않고 대화를 이어갔지만, 한 번 걸렸던 마음은 계속 걸리며 대화는 얼마 못 가서 멈췄다.

"그렇다면, 튤립 중 무슨 색이 제일 좋아?"

"특정 색깔을 좋아한 건 아닌데, 음⋯ 빨간색? 분홍색도 '사랑의 시작'인 만큼 좋지만, 빨간색은 '영원한 사랑의 고백'이라 농도가 짙은 만큼 더 좋은 거 같아요."

'영원한⋯.'

이번에는 '영원'이란 단어에서 걸렸던 거로, 앞서 말은 영원하게 기억되는 게 의미 있어 꽃이 좋은 걸 얘기했으나 실은 세상에서 영원한 건 실현 가능성이 전혀 없는 헛된 기대였다. '사랑'도 마찬가지로, 영원을 얘기하지만 결국 눈과 같이 잠시만 존재할 뿐이었다.

분홍빛으로 시작한 사랑은 빨갛게 물드나 찰나일 뿐이었다. 서로 깊어질수록 무심결에 준 상처로 말미암아 무성한 푸른빛에 정원은 서서히 노란색으로 시들며 '혼자 하는 사랑'이 됐다. 마침내 '실연'으로 결론 지어질 때, 사랑은 하얀색으로 변하며 혼자 하는 '추억'으로 귀결됐다.

물론, 추억도 마찬가지였다. 기온, 바람 등에 따라 차이가 있었을 뿐, 결국에는 사라지고 말았다. **하지만 나는 추억이 아니라 무엇이었을까?** 너와 함께한 나날의 기온, 바람, 그리고 장면들까지 지금도 눈앞에 선명하다.

"눈이다!"

"그러게… 올해도 화이트 크리스마스려나?"

"가요, 빨리!"

다시 생각의 늪에 잠길 때쯤, 목적지인 명동에 도착했다. 버스에서 내리자마자 눈이 내렸는데, 머지않은 예수님의 탄생을 기뻐하는 거만 같았다. 하늘뿐만 아니라 사람들도 마찬가지로 예수님의 탄생이 기쁜 건지 삼삼오오 모여 사랑을 나눴다.

친구부터 연인, 그리고 가족까지 모두 사랑을 나누며 거리를 다채롭게 꾸몄지만, 나만 하늘과 같은 검은색이었다. 실연의 과거에 못 벗어나 검은색으로 물들어 있었는데, 시간이 지날수록 하얀 눈이 밤하늘을 삼켰다.

다채로움과 거리가 멀단 이유로 어느 순간 눈은 나까지 삼키기 시작했는데, 마침내 하얀색으로 완전히 잠식될 때쯤 따뜻한 온기가 점점 나의 색채를 돌려놓았다. 흑백 영화가 다시 컬러 영화로 돌아가기 시작했는데, 깜짝 놀라서 따뜻한 온기를 따라 시선을 향하니 그녀가 내 손을 잡는 중이었다.

아무 말 없이 손을 잡은 그녀는 이내 나를 보고서는 웃음을 머금었는데, 그제야 거리에 있던 사람들처럼 색채를 되찾은 나는 흰색 튤립의 또 다른 꽃말이 '새로운 시작'인 게 생각났다. 그렇게 두 번 다시 있는 힘껏 사랑하지 않겠다 다짐했던 나는 어느 순간에 다시 기대를 품기 시작했다.

*

2016년 12월 21일, '조경 생태학'을 마지막으로 새내기에서 벗어났다. 처음으로 정해진 삶에 벗어난 한 해였던 만큼 모든 날, 모든 순간이 특별했지만, 세상은 곧 나조차도 잠시 벗어날 것을 얘기했다.

국방의 의무를 수행할 거를 얘기했던 건데, 대한민국의 건아로 태어난 이상 피할 수 없었을뿐더러 조금이라도 너와의 시간을 빨리 되돌리기 위해 나는 이듬해에 입대할 것을 결정했다. 이유로 화이트 크리스마스를 보내고 난 이틀 뒤인 화요일에 입대를 지원했는데, 이 년이라는 긴 시간이나 그만큼 휴가를 나올 수 있었을뿐더러 성적에 따라 자대를 선택할 수 있었던 공군에 지원했다.

일이 일정대로 진행되며, 나와 너에게는 두 달이 조금 더 넘는 시간만이 남게 됐다. 떨어져 있던 시간조차 아깝게 느껴지게 되며 당시 제법 무모했지만, 우리 둘은 새해가 오기 전에 방을 하나로 합치며 하루뿐만 아니라 일상을 함께 할 걸 결정했다. 멀리 떨어져 있어도 서로 목소리와 숨결을 기억하도록, 보고 싶을 때마다 생각하며 눈물 대신에 미소를 머금도록 우리는 백 일이 못 됐던 시간을 함께 살 것을 결정했다.

같이 살면 분명히 부딪힐 게 많을 법했지만, 우리 둘은 꽤 닮은 점이 많았다. 밥 먹을 때 무조건 밥 한 숟갈을 뜬 후 먹기 시작하는 점, 빨래할 때 검은 옷만 분리하는 점 등 사소한 점부터 중요한 점까지 닮은 게 정말 많았다. 덕분에 우리의 나날은 새로움의 연속이었다.

하지만 좋은 시간은 빨리 가는 법이다. 너와 함께 우리의 화원에 새로운 꽃송이를 피우다 보니 겨울의 흔적이 하나둘씩 사라지며 어느새 봄이 찾아왔다. 내게 정말로 시간이 얼마 안 남은 거였는데, 이런 나와 달리 대학은 개강으로 사람들이 하나둘씩 돌아오며 다시 태동하기 시작했다.

새 학기의 설렘이 내게 느껴질 정도였지만, 나는 더 설렘을 느끼지 않고자 봄바람처럼 출렁이던 마음을 애써 차분하게 만들었다. 지난 모든 날, 모든 순간을 좋은 기억으로 남기고자 노력한 건데, 다행히 한 번 차분해진 마음은 내려가기 전 마지막으로 가졌던 술자리까지 쭉 이어졌다.

초저녁부터 시작했던 송별회는 새벽 다섯 시까지 이어졌고 한 명 한 명과 인사를 마친 뒤에야 끝이 났다. 머지않아 잠시 잠들 나와 다르게 세상은 그때부터 태동하기 시작했지만, 더 후회가 없었던 나는 세상의 태동을 방해하지 않기 위해 첫차가 다니자마자 동서울 터미널로 향했다.

"올 필요 없다니까…."

"괜찮아, 어차피 오늘은 오전 강의밖에 없고 오리엔테이션이라 금방 끝나."

"… 알았어."

나와 달리 당시 너는 여전히 재학 중이었던 만큼 오전에 강의가 있었지만, 나를 마중하고자 술과 피로로 지친 몸을 이끈 채 터미널까지 함께 갔다. 그리고 버스를 기다리는 동안 내 어깨에 머리를 기댄 채로 잠시 선잠이 들었는데, 그 모습을 바라봤던 나는 신에게 조금이나마 시간이 더디게 가기를 기도했다.

기약 없던 다음까지 잘 버틸 수 있도록 최대한 너의 모습을 담아 가기를 바란 거였지만, 신은 애석하게도 기도를 들어주지 않았다. 오히려 두 시간을 불과 이십 분 남짓 정도로 느껴지게 하며 너와 빠르게 이별할 걸 재촉했다.

신에게 섭섭함을 느꼈던 나는 뾰로통한 채 이별을 준비했는데, 너는 자신에게도 뾰로통할 걸 얘기했다. 오전 여덟 시에 마지막 인사를 나눌 당시, 울지는 않더라도 슬픈 척은 할 수 있었건만 너는 실컷 웃은 채로 내게 잘 다녀올 걸 얘기했다.

"흐흐, 어떡해? 시간 안 간다는데?"

"… 너는 남자친구가 군대 가는데 슬프지도 않아?"

"어! 오히려 후련한데? 빨리 가! 그래야만 시간도 빠르게 갈 거 아니야?"

"너…"

"잘 다녀와!"

마지막으로 버스에 탈 때까지 웃던 너는 제멋대로 입맞춤한 뒤 먼저 자리를 떠났다. 그래도 막상 버스가 출발한 순간에는 오히려 배려한 거만 같아 감사했지만, 얼마 가지 않아서 버스가 터미널을 빠져나갈 때였다.

강변북로 쪽으로 버스가 나갔는데, 어느 여자가 흡연장 쪽 계단에서 몸을 움츠린 채로 앉아 있었다. 긴 생머리에 검은 코트, 베이지색 치마를 입은 사람이 흐느끼는 중이었는데, 한눈에 너인 거를 알아봤다. 그제야 네가 애써 웃었던 걸 깨달았던 나는 핸드폰으로 너의 번호를 눌렀지만, 모르는 척하는 게 너에 대한 배려라고 생각하며 결국 핸드폰을 끈 채 집으로 향했다.

그러나 입대날이 다가올수록 울고 있었던 네가 선명해지며 하루라도 너를 찾아갈까 고민했다. 다시 만나면 조금이라도 네가 괜찮을까 싶었지만, 애써 태연한 척한 너를 위한 배려가 아니었으므로 입대날까지 꾹 참은 채 애써 마음을 추슬렀다. 나처럼 힘들 너를 생각하며, 이 년 뒤에는 더 이별할 일을 만들지 말 걸 생각하며 2017년 3월 13일 오후 두 시, 같은 시간에 있으나 다른 공간에 있을 너를 위해 기도한 뒤 꺼져 가는 담배 불빛 같은 기분으로 공군교육사령부에 입영했다.

네 말 따라 이후에 2017년은 금방 갔던 앞에 두 달과는 정말로 달랐다. 자대에 가면 편할 거라는 일념 하나로 교육사령부의 훈련 기간을 버텼건만 원하는 자대에 가자 지옥이 기다리고 있었다.

이병은 정말 이가 갈린 시간이었다. 내가 잘한다고 해결될 수 있는 문제가 아니었다. 특히 내가 잘못했던 날에는 잠을 거의 잘 수 없었는데, 일병부터 줄줄이 혼난 끝에야 새벽 세 시에 겨우 잘 수 있었다.

일병 때는 정말 일만 했는데, 빠르게 일을 배우지 못할 때는 나부터 밑에 후임들까지 일을 배우지 못했다. 선임들이 근무라도 나가면 이후에 집합 당했으므로, 어떻게든 모든 일을 빠르게 배워야만 했다.

악착같이 버티고 정신을 차릴 수밖에 없었는데, 사람은 적응의 동물이라 했다. 훈련 및 차출이 꽉 찼던 봄, 대민 지원 및 피해 복구 등으로 꽉 찼던 여름이 지나자 어느새 지옥 같은 분위기에 적응했다. 무엇보다도 일병이 꺾인 순간, 많은 제한이 풀리며 한결 편해질 수 있었다.

"9월 말에 휴가 나갈래?"

"잘못… 들었습니다?"

"어, 들은 게 맞아. 여자친구 반년째 만나지 못했다며? 나는 저번에 만날 애들 전부 만났고, 무엇보다도 여자친구 없으니까 먼저 나가. 대학교는 곧 시험 기간일 거 아니야?"

여러 제한이 풀렸지만, 그중에서 내게 가장 컸던 건 기존에 2박 3일밖에 휴가를 못 나갔던 걸 5박 6일까지 나갈 수 있게 됐던 거였다. 휴가 때 집뿐만이 아니라 다른 곳까지 갈 수 있는 시간적인 여유가 생겼던 건데, 당시 운까지 좋아서 맞선임의 배려로 휴가를 2주 더 빨리 나갈 수 있었다. 그렇게 2017년 9월 28일, 세 번째 휴가 만에 나는 너를 찾아갈 수 있었다.

휴가를 나오자마자 나는 집에서 옷만 갈아입은 뒤 곧장 서울에 올라갔는데, 그날 너는 여섯 시까지 강의가 있었다. 나는 오후 두

시에 학교에 도착했던 만큼 너를 만나기 전까지 시간적인 여유가 있었고, 마땅히 할 일도 없었던 만큼 오랜만에 캠퍼스를 둘러보기 시작했다.

잔디밭에서 돗자리를 깐 채 와자지껄 웃고 있던 무리부터 벤치에서 머리를 맞댄 채 사랑을 속삭이던 연인까지 익숙하나 보고 싶던 거리를 군데군데 살펴봤는데, 그 끝에서 나는 관찰 너머 직접 이야기 안으로 들어가고 싶었던 건지 발걸음이 내 캠퍼스 생활의 시작이던 동아리방에서 멈췄다.

불과 반년밖에 안 지났으나 처음에는 동아리방 입구에 내가 알던 흔적이 온데간데없어 들어가는 걸 주저했다. 하지만 문 너머로 익숙하나 두 번 다시는 못 볼 줄만 알았던 얼굴들이 보이며 반가움에 곧장 동아리방에 들어갔다.

"야! 김민재!"

"휴가 나온 거야?"

"다들 잘 지냈어?"

다행히 예상 이상으로 대부분 사람이 나를 반겼다. 하지만 새로 온 사람들은 내가 누구인지 모르기에 눈치를 보기 시작했다. 내가 계속 있을 때 그들이 불편할 게 분명했는데, 작년에 한 어린 양이 도움받은 거처럼 이번에는 그 어린 양이 새 어린 양들에게 도움을 줄 차례였다.

커피를 마시고 싶은 걸 핑계로 기존에 알고 지냈던 동아리 회원들과 교내 카페로 장소를 옮긴 거였는데, 막상 교내 카페로 들어가자 만약 꿈이라면 깨워주길 바랐다. 약 두 시간 동안 지난 반년간에 공백을 전해 들었으나 나는 또 다른 세계에서 지냈던 만큼 전혀 공감되지 않았던 게 그 이유로, 어느 순간 나 혼자만 과거에 갇힌 기분까지 들었다.

얘기를 듣는 동안 애써 미소를 머금었지만, 멀어진 게 느껴지며 속은 점점 씁쓸해졌다. 불과 반년 만에 거리감을 느낀 만큼 이후 일 년 반 뒤가 불 보듯 뻔했는데, 당시 옆에 있던 유명진은 이런 내 마음을 눈치챈 건지 다시 동아리방에 갈 것을 얘기했다.

다행히 동아리방으로 다시 돌아갔을 때는 모르던 사람들이 떠난 뒤였고, 얼마 안 가 알고 지냈던 사람들도 각자의 강의로 하나둘씩 동아리방을 떠나갔다. 이에 강의가 끝났던 유명진과 단둘이 남게 됐지만, 그녀가 먼저 과거를 꺼내 놓자 우리는 이후 어색하긴커녕 오히려 대화가 물 흐르듯 멈추질 않게 됐다.

"오빠, 옛날에 해외학술탐방 갔던 거 기억나요?"

"당연히 기억나지! 계속 나한테 힘들다고 징징거렸는데?"

"무슨! 오빠가 언니 때문에 항상 힘들다 얘기했는데? … 아무튼 이후 동아리에 가입했고 세례명 받은 것도 기억나요?"

"그것도 당연히 기억나지. 그래서 크리스마스이브 때 유명진에서 카타리나 자매님이 되지 않으셨습니까?"

"… 과연 그 모든 게 우연일까요?"

과거를 꺼내며 한창 웃음이 무르익을 때쯤, 그녀는 목청을 가다듬더니 이내 분위기를 잡았다. 처음에 나는 이야기 중에 하나로만 생각한 채 웃음을 이어 나가려고 했지만, 웃음기 많던 유명진의 표정이 어느새 진지한 표정으로 변해 있었다.

그제야 그녀가 무언가를 말하고자 했던 걸 알아차린 나는 입을 꾹 다물었지만, 멀리서부터 다급한 발소리가 들리기 시작했다. 약속을 제시간에 맞출 때마다, 저 멀리에서 나를 발견할 때마다 들렸던 익숙한 소리가 들리기 시작했다.

우리의 대화는 자연스레 끊기며 발소리가 났던 쪽으로 시선을 향했는데, 정확히 여섯 시 정각이 되자마자 발소리의 주인공이 등장했다. 지옥 같던 시간을 버틸 수 있었던 원동력이자 단 하나뿐인 꿈이었던 네가 마침내 반년 만에 내 눈앞에 나타났던 거였다.

"야! 김민재!"

"필승!"

너는 나를 보자마자 내 품에 안겼는데, 아무 말조차 하지 않은 채 조용히 있었다. 대신 눈물로써 나를 보고 싶었음을 얘기했는데, 나는 당시 너에게 눈물보다 미소를 보이고 싶어 애써 벅차오르던 감정을 누른 채 네게 미소로써 화답했다.

우리는 한참 서로 끌어안은 채 멈춰 있었는데, 정신을 차렸을 때 동아리방에는 우리뿐이었다. 비로소 나는 온전하게 우리의 화원에 집중할 수 있음을 생각하며 네게 약속을 지키고자 했다.

"잠깐만… 자!"

"어!? 이게 뭐야?"

"흐흐, 기억 안 나? 팔 년 전에 약속했던 거?"

"어? 아… 이 바보! 약속할 때보다 더 늦었잖아!"

"싫어? 싫으면…"

"누가 싫데? … 이번에도 우정으로써 건넨 거야?"

"아니거든요? 영원한 사랑으로써 건넨 겁니다, 로사 자매님."

"… 고마워요, 바오로 형제님. **아니, 자기.**"

팔 년이란 시간이 지났고 약속할 때보다는 더 늦었지만, 두 번째 이별 후에 다시 만났으므로 미리 사뒀던 노란 장미 한 아름을 가방에서 꺼낸 뒤 네게 건넸다. 너는 처음에 깜짝 놀랐으나 이내 눈물 대신 미소를 내게 지어 보였고, 내 손을 붙잡은 뒤 우리의 화원에 또 다른 새로운 꽃을 피우고자 먼저 세상으로 나를 이끌었다.

이후 너와 함께했던 2박 3일은 2.3초로 느껴질 만큼 순식간에 지나갔다. 오랜만에 찾아갔던 한강부터 어김없이 폈었던 코스모스까지 모든 게 사진처럼 남았다. 행복했던 만남 후, 우리는 반년 전처럼 다시 이별을 맞이했으나 다행이었던 건 이번에는 네 표정이 밝았다. 오히려 네가 익살맞게 굴며 나를 편하다 못해 즐겁게 만들었고, 덕분에 편한 마음으로 부대에 복귀할 수 있었다.

사람마다 다르겠지만, 일병 말부터 상병 초 사이에 흔히들 헤어진다. 이유는 역시 '기다림'으로, 제아무리 사랑하는 연인이라 한들 멀어지면 마음도 멀어지기 때문이다. 그리고 기다리는 사람도 기약 없는 만남을 고대하며 지치겠지만, 군대에 있는 사람도 기다리라는 말밖에 할 수 없어 목소리를 듣고 힘이 되긴커녕 오히려 지친다.

그러나 나는 다행이었던 게 자격증 취득, 대외활동 등의 취직 준비로 네가 바쁘며 전혀 다른 생각을 할 틈이 없었던 거였다. 무엇보다 입대 전에 같이 사는 동안에 나날이 같은 모습들을 발견하며 서로가 필연이라고 생각했으므로, 우리에게 이별은 어울리지 않은 단어라고 생각했다.

우리의 사랑은 날이 지날수록 커질 거만 같았지만, 연애는 군대에서 어울리지 않았던 단어였을뿐더러 나만 잘한다고 결실을 보는 문제가 아니었다. 나날이 불타오르던 사랑 또한 얼마든지 단번에 꺼질 수가 있었고, **오히려 깊어졌던 탓에 이별이 될 수도 있었다.**

2018년 5월 17일, 상병이 꺾이기 전 5박 6일 휴가를 나왔을 때였다. 이때부터 계급이 어느 정도 오른 만큼 더 휴가를 나올 수도 있었지만, 그럴 필요가 없었다. 네가 인턴을 하게 되며 광주에 내려왔던 게 이유로, 고향에 내려왔던 만큼 휴가 때마다 일일이 올라갈 필요가 없어 휴가도 많이 필요 없었다.

대부분 조경 업계가 그렇듯 밤샘 작업과 회식이 잦아 당시 휴가를 나왔으나 평일에 너를 거의 볼 수 없었다. 대신 주말만 손꼽아 기다렸는데, 어떻게든 시간을 보내다 보니까 어느새 토요일 오후 다섯 시까지 시간이 흘렀다. 너와의 약속까지 불과 한 시간밖에 안 남았던 거였지만, 조금이라도 너를 빨리 보고 싶던 나는 너의 회사 앞까지 마중을 나갔다. 그리고 담배를 세 개비 태웠을 때쯤에서야 드디어 너와 만났는데, 너는 만나자마자 남사스럽게 왜 왔냐 얘기했으나 입꼬리와 함께 입주름이 올라간 건 주체하지 못했다.

그날도 여느 날과 같았다. 여름에 가까우며 20도보다도 30도에 가까운 기온, 약간의 피곤함에 잠시 내 어깨에 머리를 기대며 느껴졌던 너의 체온까지 모든 게 똑같았다. 하지만 일기예보에 없었던 비가 갑작스레 내릴 수 있듯이 당시 우리에게도 여름의 폭우처럼 예측 없는 우연이 쏟아졌다.

저녁 여섯 시가 살짝 안 된 시간, 우리는 그맘때쯤에 항상 만개했던 장미를 구경하러 조선대학교 장미 공원을 방문했다. 그날은 주말이기도 했고 장소가 지역에서 장미 축제로 유명한 만큼 인산인해를 이뤘지만, 다채로운 장미의 모습에 화가 난 사람은 없었을뿐더러 오히려 장미처럼 모두 웃음꽃이 만개한 상태였다.

우리도 사람들과 마찬가지로 웃음꽃이 만개한 채 기쁨이 절정에 달했고, 시간이 지날수록 내려가는 기온과 다르게 우리의 기온은 따사롭다 못해 뜨거워졌다. 우리 둘에게 여름이 온 것만 같았으나, 저녁을 먹은 뒤 예기치 못한 폭우가 쏟아지며 우리는 그날에 기온보다 더 차갑게 변해버렸다.

저녁 여덟 시 이분, 우리는 여느 휴가 때처럼 아침을 함께 맞이하고자 했다. 하지만 너는 일을 끝내자마자 바로 나를 만나며 준비가 안 돼 있었고, 잠시 집에 들를 수밖에 없었던 상황이었다. 나는 혼자서 기다리는 게 괜찮았으므로 너에게 집에 다녀오라고 얘기한 뒤 근처 카페에 있었는데, 너는 금방 올 걸 말한 거와 다르게 한 시간이 지나도 오지 않았다.

처음에는 가족들과 얘기가 길어지는 중이라 생각하며 애써 기다렸지만, 카페가 마감할 때까지 오지 않자 불길한 예감이 들기 시작했다. 급기야 계속 전화를 걸었으나 신호만 갔을 뿐이었고 전혀 받을 기미가 없었다. 그제야 무슨 일이 생긴 걸 알아차린 나는 자리를 벅 차 거리로 나갔지만, 너희 집이 정확히 어디인지 알 수 없어 거리를 배회했다.

지금 생각하면 나는 너의 현실을 진작에 가늠할 수 있었다. 본인 몸 하나 건사하는 거조차 힘들다는 말부터 꿈보다 돈이 먼저라는 말, 항상 너의 집 근처까지만 배웅하게 한 뒤 나를 먼저 보냈었던 너의 행동까지 너는 이미 은연중에 내게 너의 현실을 말했다.

그때까지 나는 사랑하는 마음만 존재하면 그 무엇도 이겨낼 수 있을 거라 믿었다. 제아무리 힘들더라도 포기하지 않으면 반드시 극복할 수 있을 거라고 믿었지만, **현실을 본격적으로 마주치기 전부터 나는 할 수 있던 게 아무것도 없었다.**

사랑하는 연인에게 고작 할 수 있었던 건 별일 없기를 기도하는 거뿐이었던 나는 결국 무기력함에 자리에 주저앉았다. 다리 사이로 고개를 넣은 채 멍하니 쭉 주저앉아 있었는데, 나조차 어둠 속으로 사라질 때쯤 울리지 않던 핸드폰에서 벨 소리가 울리기 시작했다.

"어디야?"

"…"

"어디냐고!"

"… 미안."

소리를 들은 지 일 초조차 안 지났을 거다. 그러나 소리를 듣자마자 나는 직감적으로 너인 걸 알았고, 기다리게 했었던 것보다는 행여나 무슨 일이 생겼을까 하는 생각에 화가 치밀어오르며 끝내 참을 수 없었다.

나와 달리 너는 통화하는 동안 꽤 차분히 미안함을 얘기했지만, 전화기 너머 코맹맹이 소리로 무슨 일이 있던 것은 감추지 못했다. 이내 나는 애써 화를 가라앉힌 뒤 잠시라도 얼굴을 보자 얘기하며 곧 네가 알려준 대로 너의 집에 가기 시작했는데, 처음이나 한눈에 너의 집을 찾을 수 있었다.

석면 슬레이트 재질, 벽돌 사이에 흘러나온 채 굳어버린 시멘트, 기대면 무너질 것만 같은 담벼락은 홀로 1980년대 분위기를 띠고 있었다. 누가 봐도 너와 같은 냉혹한 현실만이 보이며 너의 집을 단번에 알아차린 거였는데, 초록 창살에 대문을 열고 들어가자마자 역시 네가 있었다.

너는 말없이 나를 쳐다봤는데 두 눈이 부어 있었고, 가는 동안 너를 만나면 무슨 말을 할지 고민했었던 나는 구 년 만에 180도 바뀌게 된 너의 세계를 보자마자 새하얗게 얼어버렸다. 마당으로 내던져 있던 가구와 산산조각이 난 미닫이문은 끝내 나를 못 움직이게 하려 했지만, 너의 눈물이 다시 흐르는 걸 보게 됐었던 나는 네게 아직은 희망의 불씨가 살아있는 걸 보여주고 싶었다.

가구를 자리에 맞췄던 일부터 하룻밤은 넘기게 미닫이문을 문틈에 끼운 뒤 테이프로 바람이 들어오는 걸 막았던 일까지, 네가 이상에 희망을 다시 보도록 나는 그날에 현실을 하나둘씩 정리하기 시작했다. 시간은 제법 걸렸지만 포기하지 않고 정리하다 보니까 어느새 집 구실을 할 정도까진 복구했다. 하지만 너는 희망을 찾을 수 없던 건지 여전히 미닫이문 앞 마루에서 담배를 태우고만 있을 뿐이었는데, 때로는 말보다 침묵이 위로되는 법이므로 나는 아무 말 없이 네 옆에 앉은 뒤 하늘만을 응시했다.

네가 어떠한 냉혹한 현실을 겪든 내가 항상 옆에 있을 거라고, 서툴겠지만 함께 포기하지 않고 하나둘씩 헤쳐 나갈 때면 분명히 극복할 수 있을 거라고 말 대신 행동으로 보여준 거였지만, **너는 끝내 희망을 찾을 수가 없었다.** 모든 불빛이 꺼지며 달빛 아래 별만이 반짝일 때, 마침내 네 입 모양에서 변화가 시작됐다.

"… 내가 말했지? 나에게 연애는 사치라고? 어때? 이제는 조금이나마 이해가 돼?"

"…"

한차례 소용돌이가 지나갔는지 너는 담담히 이야기를 시작했다. 하지만 내게 치부를 들켰던 게 부끄러운 건지, 아니면 한이 서려 끝내 맺혔던 건지 평소에 살짝 갈라진 듯한 목소리가 이때만큼은 선명히 갈라진 채 들리기 시작했고, 그 소리에 나는 점점 갈려 나간 듯한 기분까지 들었다.

"중학교에 들어갈 때, 우리 집은 아버지가 무리하게 사업을 확장하다 망했어. 그래서 꽃집은 물론이고 우리 집까지 저당 잡혀 뺏겼고, 계속 옮겨 다니다가 결국 여기까지 오게 됐어. 처음에는 곧 괜찮아질 거라고, 다시 옛날로 돌아갈 수 있을 거라고 믿었어. 근데, 불행은 한 번에 닥치더라? 어떻게든 돈 벌기 위해 공사판에 나간 아버지가 발 한 번을 잘못 디뎠는데 그대로 추락, 장애인이 됐네? 그때부터 어머니가 아버지 대신 일을 나가기 시작했는데, 장애까지 얻었던 아버지가 무엇을 하겠어? 술이나 마시고 노름이나 하지."

"위로 언니 한 명 있지 않아? 한 살 터울로 기억나는데…."

"집 나가고 연락 끊긴 지 오래야. … 오늘은 왜 싸웠는지 알아? 아버지가 어머니 돈뿐만이 아니라 내 돈까지 손대기 시작하더라? 때마침 집에 돌아오니까 내가 그걸 발견하며 싸우기 시작했는데, 이후에는 어머니가 대신 싸우더니 끝내 둘 다 집을 나갔네? 어떻게 집이 하루도 조용한 날이 없냐? 참… 이제는 지긋지긋하다."

너의 세상은 벚꽃같이 화사한 분홍빛이었다. 너의 세상은 네가 영향력 있게 주도했다. 하지만 내가 너를 만나기 위해 새 달력을 일곱 번 꺼냈던 동안 네 세상은 빛을 잃게 되며, 그림자조차 찾을 수 없는 검은색으로 변해 있었다.

　지긋지긋하다는 말을 끝으로 너는 말을 멈춘 채 자리에서 일어난 뒤, 내가 앉아 있던 방향과 반대로 걷기 시작했다. 한마디의 말을 끝으로 너는 다시 너의 현실로 들어갔지만, 이번에도 나는 할 수 있었던 게 아무것도 없었다. 그저 마당 한 편에 피어 있던 하얀색 튤립만이 앞으로의 미래를 얘기했을 뿐이었다.

　"너는… 이런 내 현실까지 사랑할 수 있겠어?"

제8화 해바라기가 해가 져서 울던 날

2020년 1월 14일, 종강하고 사흘 만에 시작했던 계절학기가 드디어 끝났다. 이번 계절학기에는 유명진 외 동기들과도 함께 수강했던 만큼 처음부터 정신이 사나웠다. 새해가 얼마 남지 않았던 만큼 다들 들떠 있었는데, 이대로 갈 때는 이도 저도 안 될 거만 같았다. 결국 나는 성적을 확실히 얻고자 크리스마스 이후 강의 외 시간부터는 혼자 공부하기 시작했다. 덕분에 나는 만족스러운 성적을 얻었지만, 동기들은 내게 괜히 토라졌었다.

학생으로서 본분을 다했던 내게 토라졌던 사실은 당시 어처구니없게 다가왔지만, 소중한 동기들인 만큼 나는 알량한 자존심을 지키지 않기로 했다. 대신에 그들의 마음을 풀고자 술 한잔 걸칠 걸 결정했고, 우리는 시험이 끝나자마자 학교 앞 술집에 들어갔다.

처음에 나는 시험으로 날을 지새웠던 만큼 다음에 만날 걸 고민했다. 피로로 몸이 얼마 못 버틸 거만 같았지만, 술이 한잔 두잔 들어가며 지친 몸이 풀린 건 물론 기분까지 좋아지자 어느새 술자리를 즐기고 있었다.

오래 알고 지낸 만큼 편함도 한몫했으나 서로 어릴 때 멋도 모르고 했던 말부터 행동까지를 하나하나 알고 있던 사실이 우리를 꽤 즐겁게 했다. 무엇보다도 서로를 어떻게 할 때 당황하게 만들 수 있는지를 알며 우리의 웃음은 멈추지 않았다.

"다들 일학년 MT 때 기억나? 둘째 날에 손호성 사라져서 우리 한참 동안 찾았던 거? 화장실에서 바지 벗은 채 발견됐잖아!"

"그 얘기가 왜 나와! 이정환 너도 '조경학의 이해' 강의 때 술 먹고 들어와서 결국 강의실 바닥에 토했잖아!"

"지금 조용히 하는 김도훈, 전날에 술 마셔서 '조경수목학' 중간고사 때 시험 중에 코 골고 잤다."

"아, 민재 형!"

서로 너무나도 잘 알았던 만큼 우리는 대화가 끊기면 곧 화두를 바꿔 대화를 이어 나갔다. 시험, 행사 등 사소한 주제부터 제법 중요한 주제까지 두서는 없었으나 대화가 끊이지 않았는데, 주제가 연애로 바뀌었을 때였다.

"맞다! 도훈아, 홍지영 며칠 전에 남자친구랑 어디로 놀러 가는 거 봤다?"

"아, 어쩌라고! 예전에 사귀었던 애를 왜 지금도 들먹여? 호성이 형, 나도 며칠 전에…"

"됐고, 야! 김민재!"

"어? 왜?"

술을 한 궤짝 가까이 마셨던 만큼 누가 먼저 연애를 주제로 꺼냈던 건지 기억나지는 않지만, 동기 중 한 명이 이때다 싶었는지 내게 질문을 던졌다. 한창 분위기가 무르익으며 그동안에 암묵적으로 금기했던 질문, 즉 너와의 이별했던 이유를 물었던 거였다.

"김설화랑 왜 헤어진 건데?"

"맞아! 헤어진 지 좀 되지 않았어? 일 년은 더 된 거 같은데?"

"… 다들 알고 있었어?"

"당연한 거 아니야? 둘이 그렇게 붙어 다녔는데, 눈치를 못 챈 게 더 이상한 거 아니야?"

지금도 마찬가지지만 그때도 너에 관한 생각이 정리되지 않았던 나는 너에 관해 얘기하고 싶지 않았다. 이유로 계속 질문이 이어졌으나 대충 둘러댄 뒤 화두를 바꾸려고 했지만, 머지않아 나는 먼저 자리를 일어나게 됐다.

"대체 걔가 왜 좋은 건데?"

"… 뭐?"

"너, 헤어진 뒤부터 조금 달라진 거 알아? 예전처럼 마냥 웃지 않고 다소 냉소적으로 변한 거? 가끔 옆에서 볼 때마다 걱정되는데, 한편으로 도대체 걔가 어느 정도로 좋았길래 네가 이렇게까지 변한 건지 모르겠어."

"… 취한 거 같네, 먼저 일어날게."

"야…"

"다음에! 다음에 얘기할게. … 다들 조심히 들어가!"

질문의 끝에서 말문이 막히며 대답을 피했던 거지만, 친구의 말대로 정말 너를 왜 좋아했는지 그동안 생각한 적이 없어 할 말이 없었다. 그저 너를 마냥 좋아했을 뿐이었고 단 한 번도 그 이유를 생각한 적이 없었는데, 집으로 향하는 그 순간까지도 답은 결국 나오지 않았다.

나에게 있어 너란 존재, 너로 인해 마음에 걸리는 무언가, 새롭게 너를 좋아했던 이유까지 너와 이별한 지 제법 시간이 지났건만 오히려 너에 관한 생각은 날이 갈수록 더 많아졌다. 걸을수록 알코올로 점철됐던 세상도 너로 점철되며 눈물까지 흐르기 시작했는데, 이번에도 기대하면 안 되지만 기대하게 하는 목소리가 들렸다.

"오빠!"

"… 유명진?"

"하… 왜 이렇게 빨리 걸어요?"

"… 미안."

하지만 눈앞에 있는 연인보다 다른 사람을 선명하게 그렸던 죄책감 때문일까? 아니면 사랑하는 연인에게 눈물을 보이고 싶지 않던 알량한 자존심 때문일까? 이때만큼은 저번과 다르게 사과 두 글자만을 남긴 채 어둠 저편으로 달려갔다.

형형색색으로 점철됐던 세상에서 무채색의 세 평 남짓 공간으로 돌아온 뒤에야 눈물은 멈췄는데, 오감에서 해방되며 생각도 지워졌다. 그러나 잠시였을 뿐, 곧 검은색 도화지에 너와 함께했던 시간이 선명히 그려지기 시작했다.

너를 처음 만난 날부터 다시 만난 날, 그 너머의 시간까지 처음부터 하나하나 그려지기 시작했는데, 그림은 마침내 너와 이별하게 됐던 그날까지 그려졌다. 여름이 마지막으로 떠나기 전 온 힘을 다해 눈물을 흘렸던 날, 그런 여름과 달리 우리는 두 글자의 이별이 전부였던 그날이 내 눈앞에 하나둘씩 선명하게 그려졌다.

"툭! 툭!"

그림의 끝에서 마침내 소나기가 내리기 시작했다. 세상에는 비가 내리지 않는 게 분명했지만, 내 눈에서만큼은 그날처럼 소나기가 내리기 시작하며 반투명 유리 사이로 해바라기가 보이기 시작했다.

해바라기는 네가 사라지며 내가 울게 됐던 거와 같이 해가 져서 우는 거만 같았다. 나처럼 '기다림'에 지쳐서, 아니면 괜한 '자존심'을 부린 거만 같아서 시간이 흐를수록 애달프게 우는 거만 같았다. 그렇게 너는 그때 또한 내가 '너만을 바라보게' 만들었다.

*

장밋빛으로 빛날 줄만 알았던 봄 휴가에는 결국 흰색 튤립만이 피어났다. 머지않아 여름이 됐던 만큼 조금이라도 질 법도 했으나 오히려 흰색 튤립은 시간이 흐를수록 생기가 돌기 시작했다. 변해버린 너의 꽃집을 본 날부터 부대로 복귀하던 날, 부대에서 시간 날 때마다 전화했던 날까지 네가 전화를 받지 않기 시작한 거였다.

감당할 수 없던 현실 때문이었을까? 아니면 희망조차도 보이지 않던 네 눈물 때문이었을까? 시간이 지날수록 애절할 줄 알았으나 오히려 담담해졌고, 너에게 전화를 거는 빈도도 서서히 줄어들었다.

"… 나야. 오늘도 전화를 받지 않네? 별일 있는 건 아니고 그냥 전화했어. 잘 자고… 사랑해."

어느 순간에는 음성 메시지를 남길 때 "사랑해" 세 글자를 말하는 거조차 주저하기 시작했다. 목소리가 나오기 전부터 목에서 걸리기 시작했던 건데, 당시에 나는 이유를 알았으나 일부러 이유를 모른 척했다. 서로 사랑했고 항상 서로의 곁에 머물 줄만 알았기에 애써 사실을 부정했던 거로, 이런 사실조차 생각하기 싫었던 나는 일부러 근무부터 차출까지 자원했다. 심지어 다들 기피 했던 근무까지 자원하며 일했는데, 퇴근하고 나면 생각할 틈조차 없이 쓰러지듯 잠드는 게 일상이었다.

애써 생각하지 않은 채로 미친 듯이 일만 하니까 어느덧 병장이 됐다. 후임들에게 완전히 인수인계하며 근무 및 차출에서 드디어 자유로워진 거였지만, 몸이 편해지니 저절로 생각이 많아지게 됐다. 바둑이나 장기 같은 보드게임, TV 시청 등을 하며 일과를 보내도 처음 하루 이틀만 생각을 지웠을 뿐, 생각은 얼마 못 가 다시 많아지기 시작했다. 공예, 집필 등 일부러 할 일을 만들어도 소용이 없었는데, 전역한 뒤를 생각했을 때 후임들의 일을 뺏어서 할 수도 없던 노릇이었다.

나를 위했던 걸까? 아니면 너를 위했던 걸까? 그때까지도 생각이 정리되지 않고 답변 역시 결정하지 않았지만, 나는 너와 한 번 만날 걸 결정했다. 우리의 화원을 계속 꾸며나갈 건지 아니면 그만 정리할 건지를 먼저 정할 필요가 있던 건데, 때마침 국군의

날 행사 파견 인원으로 내가 뽑혔다.

9월부터 약 한 달간 파견이 결정 나며 그전에 휴가를 나갈 수 있게 됐던 거로, 휴가 중에 네가 음성 메시지를 확인하지 않으면 만날 수가 없었다. 이유로 광복절 다음 날인 8월 16일부터 8월 28일까지 나는 군 생활 중 이례적으로 길었던 12박 13일을 휴가를 나가게 됐다.

2018년 8월 16일, 기상 시간 전부터 휴가 준비를 마쳤던 나는 기상 시간이 되자마자 부대를 바로 나갔다. 집으로 돌아오자마자 핸드폰으로 네게 전화를 걸었지만, 역시 신호만 갈 뿐이었고 너는 전화를 받지 않았다.

"한 시간 아니, 삼십 분이라도 좋으니 잠깐 만나자. … 확인하면 연락해. 기다릴게."

당시 너의 집에 직접 찾아갈 수도 있었지만, 사랑은 일방적으로 이뤄지는 게 아니었다. 너도 생각할 시간이 필요했을 거였으므로, 나는 음성 메시지를 남긴 뒤 너의 대답을 기다릴 것을 결정했다. 하루, 이틀, 휴가를 나온 지 사흘이 됐었던 8월 18일 저녁 여덟 시 이 분, 너에게 마침내 전화가 왔다.

"여보세요?"

"… 언제까지 휴가야?"

"8월 28일까지."

"… 28일에 볼 수 있을까? 정리할 게 좀 많네….."

"알았어. 시간이랑 장소는 네가 정할래?"

"그래… 문자로 알려줄게."

통화는 일 분 남짓의 시간이었지만, 너의 목소리로 미루어 보아 나는 네가 무슨 결정을 내렸는지 짐작할 수 있었다. **말하지 않았으나 이미 너는 말한 거였다.** 그러나 직접 만나지 않은 이상 확신할 수 없었다. 무엇보다도 우리의 화원을 나 홀로 꾸려나갔던 게 아니었으므로, 네가 원할 때까지 기다린 뒤 만나서 어떻게 할지를 결정할 필요가 있었다.

너를 만나기 전까지 많은 생각의 시간이 주어졌지만, 나는 생각하지 않았다. 나의 자존심 문제도 아니었고 너를 여전히 사랑했지만, 너에게 내가 더 희망이 될 수 없을 거만 같았고 네가 너의 현실을 같이 못 짊어지게 할 거만 같아서 생각하지를 않았다.

무엇보다도 사랑하는 연인에게 현실이 발가벗겨진 채로 보였던 이상 너를 붙잡는 게 되레 너에게 상처로 남을 거만 같았다. 사랑하므로, 너의 마지막 자존심을 지켜주고 싶었던 거였으나 솔직히 내 생각이 틀리기를 바랐다.

설령 맞다 해도 네가 마지못해 붙잡혀주길 바랐다. 나에게 희망을 조금이나마 기대하길 바랐고 조금이라도 내게 기대길 바랐다. 이유로 신에게 매일 간절하다 못해 절실하게 기도한 뒤 내 간청이 이뤄지기를 바랐지만, 신은 야속하게 기도를 열 번만을 듣고서는 금세 너와의 운명의 날을 맞이하게 했다.

그날 나는 한숨으로 아침을 맞이한 뒤, 너의 문자대로 오후 다섯 시까지 구 전남도청 앞으로 나갔다. 하늘은 아직 여름과의 이별을 원치 않아 세상을 온통 노란 빛으로 물들이는 중이었다. 그 모습은 마치 시들고 있던 우리 사랑과 같아 꽤 서글피 느껴졌는데, 다섯

시 정각이 가까워지자 멀리서부터 또 다른 사랑의 주인공이 아지랑이와 같이 피어오르기 시작했다.

주인공은 초침에 한 걸음씩 발걸음을 옮기더니 서서히 내 눈에 선명해져 갔다. 그리고 마침내 오후 다섯 시 정각, 주인공은 어쩌면 한평생 만났던 사람 중 가장 아름다운 미소를 지녔으나 가장 슬픈 눈도 지닌 모습으로 내 눈앞에서 멈췄다.

"안녕?"

"… 안녕?"

백일홍이 필 무렵에 사라졌던 네가 질 무렵이 돼서야 다시 나타났다. 너는 그동안 무슨 일이 있었냐 하듯 미소를 띠며 내게 먼저 인사를 건넸지만, 내 눈을 속일 수는 없었다. 인사 후 오른쪽으로 피한 시선부터 떨리는 입꼬리까지 네가 애써서 웃는 중이라는 걸, 우리의 인연에 마지막에서는 좋은 모습으로 기억 남고 싶다는 걸 말하지 않았으나 말하는 중인 걸 알 수 있었다.

너와 처음으로 이별한 뒤부터 나는 항상 너의 기대에 보답하고 싶었다. 네가 나의 인생의 단 하나의 꿈이었고 전부였던 만큼 너 없는 삶을 단 한 번도 상상조차 한 적은 없었으나 사랑하므로, 나는 네가 행복해질 수 있다면 기꺼이 불행해질 걸 결정했다.

"나 다음 달부터 파견 가. 앞으로 약 한 달간 파견 가는데, 다녀온 뒤에 추가로 두 달 더 다른 데로 파견 갈 수도 있어. 그래서 올해는 더 보는 게… 힘들 거 같아. 미안. 미리 전달해야 했는데 하지 못해서…."

"… 사실, 나도 내일부터 교환학생 가. 미안. 말하지 않고 간 건.

그리고… 한 학기 더 연장되면 다녀오자마자 졸업할 수도 있어. 이후 바로 취직할 수도 있고….”

다짐 끝에 마침내 내 입 모양에서 먼저 변화를 시작했지만, 우리 둘은 생각보다 담담히 대화를 주고받았다. 정확히 둘 다 최대한 감정을 느끼지 않고자 노력했던 거로, 누구 한 명이라도 감정이 터진 순간 걷잡을 수 없던 게 분명한 거였다.

그러나 애써 감정을 숨겼던 거와 다르게 우리는 누가 먼저 우리의 화원을 앞으로 어떻게 할지는 얘기하지 못했다. 막상 나조차도 다짐이 무색하게 이별이 눈앞에 다가오자 얘기하는 걸 머뭇거렸던 건데, 기다린다 한들 시간이 해결해줄 수 있던 문제가 아니었다.

무엇보다 우리에게는 그날밤에 시간이 없었으므로 그 자리에서 반드시 결정을 내려야만 했다. 선뜻 입 밖으로 얘기가 나오지 않았지만, 다짐한 대로 나는 너의 행복을 위해 먼저 얘기를 꺼낼 것을 결정했다. 이에 대화가 끊길 찰나, 심호흡을 한 번 크게 내쉰 뒤에 나는 먼저 얘기를 꺼내려고 했다.

“그날 밤, 네게 얘기한 뒤부터 계속 생각했어. 근데… 내가 이기적이라는 생각밖에 떠오르지 않더라. 어떻게 사랑받기만 하려 하고 이해를 받으려고만 한 건지, 참… 못났다. 그렇지? … 아무튼, 몇 날 며칠을 생각해도 결론은 똑같더라. 지금의 상황이 해결되지 않으면 결국 똑같은 일이 반복될 거라는 거. 하지만 이 상황은 절대 해결되지 않은 거라는 거. 아무리 생각해도 같은 결론만 나오더라.”

“그냥… 네 언니처럼 집과 인연을 끊으면 되지 않아? 가족이란 존재가 너의 꿈을 짓밟는데, 그건 남보다도 더 못한 거잖아….”

"… 친구, 연인과 맺고 끊는 관계는 '인연'이라 가능할지도 모르겠지만, 부모와 자식과의 관계는 그보다 더 높은 '천륜'인 만큼 한번 맺어진 이상 끊는 건 불가능해. 무엇보다 불쌍한 우리 어머니는 어떡하고 나 혼자만 도망을 가…."

하지만 너는 이번에도 내 다짐이 무색하게 네 입 모양에서 먼저 변화를 시작했다. 여전히 미소를 짓고 있었으나 슬픈 눈도 지닌 채 대화를 이어 나갔던 건데, 그 모습에 나는 네가 희망을 잃지 않기를 바랐다.

내가 너의 곁에 있든 없든 꿈을 포기하지 않기를 바랐던 거로, 나는 배려라는 상자 안에 결국 진심을 꺼내며 어떻게든 너의 마음을 돌리고자 했다. 처음 너와 사귀게 됐던 날처럼 너를 어떻게든 붙잡으려 했던 거였으나, 너는 희망이라는 불빛은 이미 사라진 지 오래라는 듯 담담히 답변했다.

그 모습은 마치 체념을 넘어 단념한 듯했는데, 하늘은 듣는 내내 감정의 소용돌이를 주체하지 못했던 건지 결국 눈물을 흘리기 시작했다. 참았다 단번에 터트렸던 건지 시간이 흐를수록 눈물은 거세졌는데, 끝내는 우리 둘 사이에 빗물이 고이게 하였다.

"행복했어. 사랑받는 게 무엇이고 얼마나 과분한 건지 알 수 있어서. 감사했어. 꿈을 다시 떠올리며 생각할 수 있어서. 고마웠어. 다 너를 만난 덕분이야. … 정말, 네가 내 첫사랑이라서 고마웠어."

빗소리에 갇힌 채 얼마나 시간이 지났을까? 마침내 네 입 모양에서 변화가 시작됐다. 정확히 네 입 모양에서 변화가 끝났다. 시작할 때, 그리고 끝날 때 할 그 한마디로.

"안녕."

하늘이 대신 울어서 그랬을까? 아니면 이미 예상한 일이라 그랬을까? 하늘처럼 당시에 나도 눈물이 나올 줄 알았지만, 담담했던 건 물론 부대에 복귀한 뒤 역시 눈물 한 방울조차 흘리지 않았다. 오히려 내 머릿속을 꽉 채웠던 생각에서 홀가분해지며 편한 느낌까지 들었는데, 국군의 날 행사부터 파견대의 파견까지 모든 파견이 끝난 뒤였다.

나는 다음 파견 인원 문제로 일주일이나 파견이 연장되며 겨울의 시작이라고도 할 수 있는 12월 7일, 대설에 부대로 복귀했다. 그날은 대설답게 많은 눈이 내려 모든 근무가 취소됐던 대신 제설 작업에 모두가 동원됐다. 다행히 나는 간부들의 배려로 홀로 생활관에 남아 쉬게 됐지만, 머지않아 말년이었던 만큼 생활관을 옮겨야 했었다. 이유로 쉬는 동안 모든 짐을 동기들이 있었던 방으로 옮긴 뒤 마지막으로 관물함에서 짐을 뺐는데, 갑자기 무언가가 바닥으로 굴러떨어지더니 깨지는 소리를 냈다.

깜짝 놀란 나는 잠시 하던 일마저도 멈춘 채 물건을 확인했는데, 네가 직접 만든 속지가 껴있던 텀블러가 굴러떨어진 거였다. 안에는 우리가 처음 함께 찍었던 사진부터 올해 처음 눈이 내렸을 때 찍었던 사진까지 너와의 기억들이 차곡차곡 쌓여 있었는데, 사진 틈 사이로 머리 끈 몇 개가 보이자 나는 곧 미소를 머금게 됐다.

"나 머리 끈 좀!"

"또? 어떻게 외출을 마중 나올 때마다 머리 끈을 달래? … 자!"

"항상 네 외출 시간을 맞추느라 서둘러서 나오니까 그렇지! …
고마워."

군대에서 머리 끈을 사용할 일은 당연히 없었으나 외출 때마다
너를 위해서 갖고 다녔던 게 생각나며 미소를 머금게 됐던 거로,
머지않아 미소는 사라졌다. 대신 너와의 기억을 잊어버린 줄 알았
으나 그저 눈에 안 보이게 숨겨뒀던 걸 알게 되며 씁쓸함이 들기
시작했는데, 얼마 안 가 관물함에서 수첩 또한 발견하며 씁쓸함은
곧 서글픔으로 바뀌었다.

수첩의 첫 페이지부터 너와의 흔적이 발견되자 자연스럽게 바뀌
었던 건데, 군 생활의 시작부터 달력에 표시됐던 X자가 8월 28일
부터 지워지지 않은 거였다. 메모 역시 마찬가지로, 그 이전까지는
너를 생각하며 차곡차곡 적었으나 이후부터는 단 한 줄조차 적혀
있지 않았다.

그전까지 나는 우리의 꽃들은 대부분 평범하다 못해 눈에 띄지
않았다고 생각했다. 하지만 습관적으로 너와 만날 날을 표시하고
너를 생각하며 적은 걸 발견하며, **그제야 모든 꽃이 특별했고 모든
꽃이 사랑이었다는 걸 알 수 있었다.**

서글픔은 끝내 눈시울을 적시기 시작했는데, 수첩 안에 사진 한
장이 떨어지자 나는 끝내 눈물을 주체할 수 없게 됐다. 그 사진은
올해 봄이 오기 전 마지막으로 눈이 내렸던 날에 찍었던 사진으로,
휴가를 나온 뒤 곧장 서울에 올라가 너의 자취방을 빼는 걸 돕고
찍었던 사진이었다.

"아, 또 왜 찍어?"

"모든 게 다 기억 남지 않겠어? 아! 나중에는 반대로 집에 들어올 때 사진이 찍히겠네?"

"우리 둘이 결혼하고 같이 살 때?"

"뭐래! 아직 한참 멀었거든?"

"흐흐, … 사랑해."

너와의 따스한 봄에 첫 만남부터 불처럼 뜨거웠던 여름에 고백, 한강에서 코스모스가 피어오른 걸 봤었던 가을과 새해를 기대하게 했던 겨울까지 사진을 보게 된 순간, 시간이 사진과 반대로 흐르기 시작하며 네가 정말로 나의 첫사랑이었다는 걸 알게 되자 도저히 눈물을 멈출 수 없었다.

하늘에서는 그때도 너와 같은 눈의 꽃이 계속 피어나고 있었다. 하지만 나의 마음에서는 그제야 눈의 꽃이 발아했고 그제야 너의 번호를 누르게 만들었다. 그동안 잠시 머뭇거렸으나 그날 피어났던 눈의 꽃이 네가 필연이라는 확신이 들게 하며 너를 붙잡도록 한 거였지만, **너는 자신이 우연 중에 하나라고 얘기했다.**

전화를 걸었으나 너는 이미 번호를 바꾼 상태였고, 며칠 뒤 휴가 날 너의 집을 찾아갔으나 이미 너의 집은 온데간데없었던 거였다. 그때까지 역시 나는 네가 나의 필연이라 믿으며 잠시 떠난 거라고, 언젠가 우연처럼 되돌아올 거라고 믿었다.

너의 세례명처럼 너는 장미 같아 너를 안을수록 다칠 거를 알았지만, 나는 그마저도 감내하기로 했었다. 하지만 우리가 헤어졌던 날에 피었던 해바라기가 끝내 해를 못 본 채 져버렸던 거처럼 너는 나에게 차가운 흔적만을 남긴 채 결국 져버렸다.

제9화 한여름 밤에 내린 눈의 꽃

2020년 4월 5일, 올해도 어김없이 겨울이 가고 봄이 왔다. 자연은 여전히 다시 태동하며 세상에 생동감을 불어넣었지만, 사람들은 오히려 겨울보다 더 정적으로 변했다. 한 치 앞도 모르는 게 인생이라고, 모든 사람의 예상과 다르게 코로나19가 단순 전염병으로 그치지 않고 전 세계로 퍼져나가며 사회가 멈췄던 거였다.

학교도 당연히 폐쇄되며 학기가 시작할 때마다 재회했던 동기들과도 못 만나게 됐다. 하지만 겨울이 정적이나 그 안에 생물들이 죽은 건 아니듯 사람들도 죽지 않고 살아 있었다. 현실 대신 컴퓨터에서 살아있던 거로, 기존과 다르게 강의부터 활동까지 모든 게 온라인으로 이뤄지게 된 거였다. 물론 21세계의 이례적인 사태로 모든 대처가 미흡해 강의 중 프로그램이 나가지는 일도 발생했고,

평가가 올바로 이뤄지지 않으며 재시험을 보는 일도 발생했다.

하지만 인류가 지구 먹이사슬의 최고 자리에 등극했던 데는 다 이유가 있었다. 바로 '적응'으로, 한 달 정도 시행착오를 겪자 학교뿐만 아니라 사회 전체가 어느 정도의 안정을 찾게 됐고 나름대로 합리적인 규칙이 생겼다.

나도 인류 중 한 명인 만큼 새로운 규칙에 차근차근 적응할 법했지만, 인류 역사에 두 가지 중요 개념인 '자유'와 '평등' 중 자유가 제한되자 적응이 안 됐던 건 물론 시간이 지날수록 되레 목이 조여오는 거만 같았다. 쇠창살에 갇히지 않았으나 갇힌 기분까지 들며 마음 또한 우울했지만, 나만 평등을 져버린 채 자유를 추구할 수는 없었다.

처음에는 우울한 나날이 얼마 안 갈 거만 같았다. 몇 세기간에 인류의 발전을 생각할 때 전염병 하나 정도는 금방 해결할 거만 같았다. 얼마 안 가 예전으로 돌아갈 거만 같았고 보고 싶은 얼굴들을 금세 볼 수 있을 거만 같았지만, 시간이 흐를수록 호전되는 건 없었고 오히려 악화만 될 뿐이었다.

기약 없는 기다림에 어느 순간, 다시 예전으로 돌아가는 것은 '불가능'처럼 느껴지기 시작했다. 과거에 일상이 앞으로 역사책 안에서만 찾아볼 법한 이야기가 된 기분까지 들며, 과거에 미처 하지 못했던 일들과 익숙함에 소중함을 망각했던 일들이 떠오르기 시작했고 마침내 과거의 기억들까지 하나둘씩 떠오르기 시작했다.

날짜가 흐를수록 과거의 기억들이 점점 더 선명해졌지만, 그 끝에선 결국 단 하나의 기억으로 귀결됐다. 역시 너에 대한 기억으로,

넋두리인 걸 알았으나 한 번 더 만날 수만 있다면 인사라도 건네고 싶었다. 하다못해 스치듯 얼굴이라도 보고 싶었지만, 현실은 한마디 인사는 물론 만남조차 허락하지 않았다.

조그마한 방에서 너의 기억이 나날이 선명해지며, 나는 서서히 자유를 만끽하지 않게 됐다. 홀로 방에서 춥다 못해 얼어붙은 너의 계절로 돌아가는 중이었지만, 언제나 한 명이 나를 잠시이나 원래 시간으로 되돌려 놓았다.

"음… 여보세요?"

"어, 뭐야? 목이 왜 잠겼어? 어디 아파?"

"아니야, 방금 일어나서 그래. 잘 잤어?"

"잘 잤지! 오빠는?"

유명진이 그 주인공으로, 평일이든 주말이든 상관없이 매일 오전 아홉 시에 전화를 걸어 나를 원래 시간으로 다시 되돌려 놓았다. 본인 또한 거의 방 안에 박혀 있는 만큼 할 얘기가 없을 법했으나 매일 다른 이야기를 하며 항상 맞이하는 나의 아침만큼은 색다르게 느끼게 했고, 한 번쯤 외출을 다녀올까도 고민하게 하였다.

"… 그래서 오빠가 나 떠나는 꿈 꿨다니까?"

"내가 왜 떠나? 안 떠나니까 걱정 붙들어 매."

"어? 방금 약속했다! 흐흐, 이제 끊어야겠다. 오늘도 좋은 하루 보내!"

"너도 좋은 하루…"

"잠깐, 뭐 까먹지 않았어?"

"응? 아… 사랑해."

그러나 통화 끝 다시 방 안에 돌아올 때면 나는 곧 우울해졌고, 외출하는 걸 끝내 포기하게 됐다. 통화 후 너의 기억이 방에 널브러진 걸 볼 때마다 나는 도로 너와의 기억을 점철시키며 너의 계절로 돌아갔던 거였다.

오늘도 마찬가지로, 통화 끝 다시 방 안으로 걸음을 옮길 때마다 계절이 봄에서 겨울로 흐르기 시작했다. 애써 사랑을 얘기했던 입술 또한 다시 얼어붙은 채 세상과 대화하는 거를 일절 멈췄지만, 연분홍 섬광이 덮치며 이내 입술을 열 수밖에 없었다.

"아! 뭐야!"

계절의 경계에 이른 순간 눈에 무언가가 들어가며 저절로 탄성을 내뱉었던 거로, 눈을 비벼서 정체를 확인해보니 벚꽃 잎이었다. 그제야 나는 하늘 위로 고개를 올려봤는데, 하늘은 이미 분홍색으로 물들여진 상태였고 봄은 절정에 이르기 시작했던 상태였다.

매년 피고 지는 벚꽃이나 이때 봤던 벚꽃은 유난히 찬란해 보였는데, 정신을 차렸을 때는 나도 모르게 그 빛에 이끌려 밖에 나와 걷는 중이었다. 약 두 달 만에 계획하지 않은 외출을 하게 된 건데, 그 끝에서 나는 원래의 계절로 점점 돌아가기 시작했다.

예년과 달리 봄의 생동감 넘치는 모습이 볼수록 위로 또는 봄의 색채를 찾게 했던 게 이유로, 벚꽃이 폈던 길을 따라 빼곡히 채운 친구와 연인, 그리고 가족들은 마치 미래의 내 자화상 같았다. 그들처럼 나도 원래의 자리에 원래대로 돌아갈 수 있을 거 같았는데, 머지않아 길의 끝에 도착했던 학교에서 생각은 확신으로 바뀌었다.

학교는 몇 달 전과 다르게 자유로이 들어갈 수는 없었지만, 그 모습 그대로를 유지하며 변해가는 세상에도 변하지 않는 게 있음을 알려준 거였다. 헤어진 자리에도 원래 알고 있던 모습까지는 아니더라도 무언가가 남아 있는 걸 몸소 보여준 거였는데, 그 고상함에 나는 현재에 다시 '기대'를 품게 되며 과거 얽매임에서 한결 풀려나게 됐다.

하지만 현재의 나는 과거에 완벽히 벗어난 채 자유를 만끽했던 게 아니었다. 무엇보다 네가 나에게 던진 숙제를 풀지 않을 때 나는 과거가 '반복'됐을 게 분명했으므로, 나는 너와의 마지막 날이자 너를 다시 만난 날로 돌아가 그날의 나에게 너의 존재를 물을 걸 결정했다.

네가 나에게 숨김없이 고백했던 거처럼 그날의 나 역시 숨김없이 고백하길 바라며 답을 찾기 위해 잠시 과거로 돌아갔던 거였는데, 느닷없이 바람이 불더니 하늘에서 눈이 내리기 시작했다. 그리고 세상을 한여름 밤에 내게 눈의 꽃이 내렸던 날로 바꿨는데, 그 안에는 열세 살이며 스물네 살의 너와 내가 보이기 시작했다.

*

2019년 8월, 교수님의 소개로 고향에서 인턴을 시작했다. 사실 말이 소개였고 교수님의 회사에서 일하게 된 건데, 고작 2학년이 할 줄 아는 건 아무것도 없었다. 당시 CAD는 물론이고 심지어 설계 도면조차도 볼 줄 몰랐는데, 문외한이었던 만큼 당연히 처음에 하는 일이라고는 아침에 나와 분리수거, 중간에 파쇄밖에 없었다.

한 달만 대충 시간을 보내라는 식으로 다들 조경 업무 대신 잡무를 시킨 거로, 당시 있는 거보다 못한 대우에 나는 인턴을 포기할까도 고민했다. 하지만 조경 바닥은 생각보다 좁았고 소문이라도 날 때 영영 못 들어올 수도 있었다. 나는 그때 또한 미래에 대한 진로를 정했던 게 아니었으므로, 혹시 모를 상황에 대비하여 하는 수 없이 꾹 참은 채 곁눈질하며 업무를 배울 수밖에 없었다.

다행히 시킨 일을 한 번도 거르지 않고 눈치껏 모르는 걸 배우려 하자 직원들이 어느 순간부터는 일을 먼저 하나둘씩 알려주기 시작했다. 회의나 업무에서 또한 더는 나를 배제하지 않고 참여시키기 시작했는데, 인턴이 끝날 무렵에 나는 무슨 의도로 업무를 하는지 정도의 안목은 길러져 있었다.

무엇보다도 그때쯤에 나는 재주가 뛰어난 건 아니지만 나름대로 재능이 있는 걸 발견하며, 조경업계에서 일하는 걸 진지하게 고민하게 됐다. 전공을 살려 조경 기사가 되면 입에는 풀칠할 수 있을 거만 같아 인턴을 연장하는 걸 꽤 진지하게 고민까지 했지만, 나는 인턴을 연장하는 걸 포기한 채 학교로 돌아가게 됐다.

2019년 8월 27일, 그날도 여느 날처럼 퇴근 후 회식이 잡혔다. 평소 회식이 많을 때는 일주일에 세 번이나 잡혔던 만큼 나는 종종 회식에 빠졌지만, 그날따라 회식에 단순하게 참여하는 걸 넘어 꼭 참여하고 싶었다. 인턴 기간이 얼마 안 남았던 거도 한몫했겠으나 왠지 모를 느낌에 나도 모르게 이끌렸던 건데, 이상하다시피 술도 잘 들어가 기분 좋게 회식 자리를 보냈다.

"야! 김민재! 인턴 연장 안 할 거야?"

"맞아! 아예 졸업할 때까지 연장한 다음 바로 우리 회사에 취직하자!"

"하하… 다들 정말 고마운데, 내일까지 시간 있잖아요? 지금도 진지하게 연장할지 고민하는 중이니까 조금만 기다려주세요."

"고민할 게 있어? 자! 다들 잔 들고… 김민재 '사원'을 위하여!"

"하하… 위하여!"

그중 인턴 연장 제의를 받았을 때가 가장 기분이 좋으며 웃음이 절정에 달했는데, 말뿐일 수도 있겠지만 그만큼 나를 인정하는 걸 표현했던 거였으므로 당연히 기분이 좋을 수밖에 없었다.

만약 평소 같은 주량이었을 때 나는 기분 좋게 회식 자리를 마친 뒤 집으로 향했을 거다. 어쩌면 다음 날 인턴 연장을 했었을 거고, 나중에는 이 회사에 취직했을 수도 있었을 거다. 하지만 운명의 여신은 머지않아 내가 회사는 물론, 고향까지 거의 내려오지 않도록 이때부터 실을 감기 시작했다.

밤이 절정에 이른 그날 오후 열 시, 막차 시간까지 한 시간밖에 안 남으며 회식 자리가 마무리될 때였다. 때마침 주량이 한계치에 도달할 때였던 만큼 나는 기분 좋게 마무리했다 생각했지만, 좋은 기분이 곧장 한풀 꺾이게 됐다. 담배가 떨어졌던 게 이유로, 술을 마시다 보니까 어느 순간에 담배를 다 피웠던 거였다. 그 순간만큼 편의점까지 거리가 얼마 되지 않아 곧 담배를 살 수 있어 다행이라 생각했지만, 그 시점부터 나는 이미 운명의 여신의 베틀 위에 걸려 있었다.

담배에 불을 붙인 뒤 한 모금 마신 순간이었다. 누군가 담뱃불을 빌려달라 다가왔는데, 처음에 나는 쓱 쳐다봐도 아무 생각이 없어 그대로 빌려줬다. 하지만 몇십 초가 지난 후에도 라이터를 돌려줄 기미가 없자 이상한 생각에 쳐다보니 곧 깜짝 놀라게 됐다.

"어? … 이아영?"

"야! 김민재! 오랜만이다?"

"헐! 잘 지냈어? 처음 볼 때 다른 사람인 줄 알았네!"

"나도! 엄청 많이 변했네? 안경도 벗고 키도 커지고… 그것보다 무슨 일로 이 시간까지 여기에 있어?"

"방금까지 회식했어! 막 끝났던 참인데. 너도 회식 때문에 지금까지 상무지구에 있는 거야?"

"아니? 오늘 한윤미 생일이라 애들끼리 모였어! 아, 한윤미부터 애들 몇 명 있는데 한번 올래?"

누군가가 바로 초등학교부터 고등학교까지 같은 학교들을 나온 동창이었던 거로, 성인이 된 이후 각자의 사정으로 보지 못하다 그 날 우연히 만나게 된 거였다. 하지만 뜻밖의 우연은 이에 그치지 않고 다른 우연까지 점철시켰는데, 그 끝에서 나는 운명의 여신이 그제야 우연이 아니라 필연으로 점철시킨 걸 알게 됐다.

"애들아, 김민재 왔다!"

"누구? 김민재?

"쟤가 김민재라고?"

"하하… 다들 잘 지냈어?"

물론 처음에 나는 그저 우연이라 생각하며 반가움뿐이었다. 마냥 과거의 행로를 잠시 같이 걸었던 사람들을 재회한 거로 생각하며 미소까지 머금었으나 발걸음을 테이블 앞까지 옮긴 순간, 미소가 사라지는 건 물론 발걸음까지 멈추게 됐다.

우연과 필연이 정말 한 끗 차이밖에 되지 않은 걸 깨달으며 생긴 경외심, 내지 우연이라 스스로 말했건만 필연처럼 나타났던 사람에 대한 원망으로 발걸음을 멈추게 됐던 거였는데, 그 사람은 오른쪽으로 내 눈을 피하며 애써 이 사실을 부정했으나 나는 부정할 수 없었다. 아로새겨진 흔적을 덮지 않고 고스란히 간직하게 한 사람이므로, 그 흔적에 수없이 현재의 눈물을 과거로 흘리게 한 사람이므로 나는 부정할 수 없었고 잠시 머뭇거렸으나 그 사람, 아니 너에게 발걸음을 옮긴 뒤 먼저 인사를 건넸다.

"잘… 지냈어?"

"…… 어."

"여전하네."

"… 너도."

비가 올 때마다 꿈속에서 나타났던 네가 이때만큼은 수증기처럼 사라지지 않은 채 있었다. 꿈속에서 제멋대로 나타난 후 사라지지 않고 내 눈앞에 있었지만, 너는 계속 생각에 잠긴 건지 오른쪽으로 눈을 피하는 중이었다.

나는 당장에라도 묻고 싶은 게 너무 많아 너의 얼굴을 계속 바라봤다. "교환학생은 잘 다녀왔어?", "지금은 어떻게 지내?" 등 그동안의 내 인생에서 단 한 번뿐인 필연과도 같던 사람과 우연과 같이 헤어졌던 동안 일부터 "너도 지금까지 나를 사랑해?" 등 솔직한 심정까지 묻고 싶은 게 너무나도 많았다.

할 수만 있었다면 곧장 너를 밖에 데리고 가고 싶었다. 단둘이 잠시일지언정 우리의 화원을 다시 피우고 싶었지만, 그 자리에는 우리만 있었던 게 아니었으므로 대신 나는 친구들에게 항상 내가 너의 옆에 있었음을 얘기했다.

"야! 김민재! 너 좋아하는 사람 있어?"

"어? 그게 뜬금없이 무슨 말이야?"

"아니, 전혀 꾸밀 줄 몰랐던 애가 회사만 다니는데 한껏 꾸미고 다닐 일은 없잖아! 분명 좋아하는 사람이 있는 건데, 누구야?"

술자리에 가볍게 내던졌던 말 중 하나였을 거다. 분명 아무 생각 없이 질문을 던졌던 게 분명했지만, 나는 운명의 여신이 기회를 준 거라 믿으며 너만큼은 알아들을 수 있도록 내 솔직함을 표현했다.

"… 맞아, 좋아하는 사람 있어."

"어!? 누군데?"

"…"

"… 그 사람은 벚꽃같이 화사한 분홍빛의 세상에 사는 사람이자 자신의 세상을 영향력 있게 주도하는 사람이야. 그 사람은 궁금한 게 생길 때마다 호기심에 가득 찬 눈빛으로 입술을 툭 내밀었고, 종종 장난기 많은 모습을 보여 나를 꽤 버겁게 만들었어. 지금은 꿈보다 돈이 중요해서 잠시 본래의 모습을 잃었지만, 언젠가 원래 알던 모습 그대로 돌아올 사람이야."

내 얘기를 듣던 너의 친구들은 내가 당최 무슨 소리를 하는 건지 못 알아들었지만, 너는 단번에 자신을 얘기하는 걸 알며 점점 나를 쳐다보기 시작했다. 마침내 내 눈과 마주쳤던 순간, 너는 내일 출근할 걸 핑계로 곧장 자리에서 일어났다.

순식간에 벌어진 일인 만큼 다들 어안이 벙벙했고, 나는 얘기를 꺼냈던 만큼 당시 자리를 수습할 법했다. 하지만 나와 눈이 마주쳤던 순간에 흘린 너의 눈물을 보며, 나는 치레를 할 안중 따위는 더 없었다.

거리를 황급하게 벗어나고 있던 검은 골지 니트를 입은 사람을 따라가서 붙잡은 뒤, 그 사람을 내 품에 끌어안았다. 두 번 다시는 도망가지 못하도록 있는 힘껏 끌어안으며 그 사람에게 보고 싶었던 진심 어림을 표현했는데, 그제야 그 사람은 너로 변하며 내 품에서 흐느끼기 시작했다.

우리는 비로소 형식적인 안부를 물을 필요가 없게 된 거였는데, 나는 내 품에 안겨 있던 너를 보며 이대로 떠나보내기에 아직 많이 사랑하는 걸 알 수 있었다. 이유로 나는 네가 눈물을 다 쏟아낸 후, 이번에도 너에게 먼저 대화를 나눌 걸 얘기했다.

"교환학생은 잘 다녀왔어?"

"응… 두 달 전에 귀국. 학교는 지난주에 졸업했고."

"회사는? 여기에서 일하는 거야?"

"일단은. 선배 소개로 인턴 하게 된 건데, 정규직으로 채용되면 계속 여기에서 일할 수도 있고 아니면 상황 보고 다시 서울에 올라갈 수도 있고."

우리는 시간이 늦었던 만큼 인근 술집으로 들어가 대화를 시작했다. 다행히 평일이었던 만큼 번화가이나 사람은 그렇게 많지 않아 잔잔한 분위기에서 대화를 나눌 수 있었는데, 처음부터 솔직히 감정을 드러내면 걷잡을 수 없을 커질 거만 같아 우리는 형식적이나 먼저 서로가 궁금했던 질문을 주고받았다.

이때만큼은 중간에 침묵이 섞이며 대화가 사뭇 어색하게도 느껴졌다. 그렇지만 그럴 때마다 우리는 술잔을 부딪치며 다시 대화를 주고받았는데, 술을 한두 병 비울 때쯤에서야 네가 먼저 형식적인 대화를 깨부수며 감정을 고조시키기 시작했다.

"웃긴 거 하나 알려줄까? 회사 사람들이 항상 내가 밝을뿐더러 사랑만 받으며 자란 거 같다 얘기하더라? 전혀 아닌데. 참, 이래서 사람을 겉만 보고 판단하면 안 된다는 거 같기도 하고"

"글쎄, 내 눈에는 사람들이 제대로 보고 있는 거 같은데? 물론, 내가 모르는 게 있을 테지만 내가 알고 있는 너는 항상 벚꽃같이 화사했던 사람이야. 지금은 현실에서 방황하는 중이지만, 언젠가는 다시 원래에 너의 모습으로 돌아갈 거야."

"하! … 너는 여전하네."

너는 대화 중에 헛웃음을 짓더니 곧바로 혼자서 술잔을 비웠다. 한숨을 쉬고서는 한동안 창밖만을 바라봤는데, 생각에 잠긴 듯한 모습에 나는 네가 말할 때까지 기다리며 너의 씁쓸한 입꼬리만을 쳐다봤다.

침묵 속에 갇힌 채 얼마나 시간이 지났을까? 마침내 네 입 모양에서 변화가 시작됐는데, 그 끝에서 나는 내 말 따라 내가 모르는 과거뿐만 아니라 남들의 눈에 비친 내 모습까지도 알게 됐다.

"너는 내가 왜 너를 좋아하게 됐는지 모르지? 왜 헤어지게 됐는지도 모르고?"

“…”

“그래… 결론부터 얘기하자면 네 '**희생**'하는 모습에 반했고, 그 모습에 헤어지기로 했어.”

“… 무슨 말이야?”

“초등학교 5학년 때 완도로 해수욕장 간 거 기억나? 옛날에도 한 번 이야기했는데? 아무튼 생판 모르는 남이었을 때인데도 내가 갯벌에 빠져 신발 잃어버리고 우니까 네가 신었던 신발을 나에게 건넸잖아.”

“말하니까 어렴풋이 기억나는데, 그때 신발 한 켤레…”

“더 있어서 건넸다고? 거짓말. 집으로 돌아갈 때 맨발로 간 걸 내가 똑똑히 봤는데? 어쨌든 너는 항상 상대가 누구든지, 또 결과가 어떻게 되는지 아랑곳하지 않고 항상 희생하잖아. 대부도에서 발바닥 다친 날만 봐도 그래. 그날 발바닥 지혈할 때 찢은 티셔츠, 네가 오래 입을 거라고 돈 꽤 주고 샀잖아. 근데 정작 옷을 찢은 뒤에 너는 옷은 생각지도 않고 계속 내 걱정만 했고.”

“…”

“사람마다 사랑의 크기가 다르지만, 확실한 건 너는 항상 나의 사랑의 크기보다 더 큰 사랑을 나에게 건넸어. 그래서 더 받으면 내가 터질 거만 같아… 내가 먼저 헤어지자 한 거야.”

너는 마지막이라 생각하며 나에게 진심을 숨김없이 고백했던 거 같았다. 모든 걸 털어낸 거 같았지만, 그동안 세상이 무채색인 줄로 알았던 나는 비로소 색채가 생기며 앞으로는 너의 도화지에 나의 물감만을 칠하고 싶었다.

"처음에 헤어졌을 때, 사실 아무 감정이 없었어. 후회 없이 사랑했다 생각하며 너를 보낸 줄로만 알고 있었는데, 몇 달이 지나고 우연히 네 흔적을 발견하자 뒤늦게 알겠더라고. 그저 감정을 애써 숨겨 놓았던걸. 그래서 더 늦기 전에 너를 찾아갔지만, 너는 이미 온데간데없더라."

"…"

"어떻게 된 건지 묻지는 않을게. 다만, 너도 묻지 않고 다시 한번 더 나를 사랑하면 안 될까? 처음에는 잘 지내는지만 궁금했는데, 이제는 너의 모든 게 궁금해서 더는 견딜 수가 없네…. 지금까지 사는 동안 이처럼 누군가에 의해 이유 없이 행복하거나 슬프거나 기대한 적은 없었거든. 그냥… 우연으로 잠시 멀어진 거라고, 늦었다는 말 대신 나를 안아주면 안 될까?"

만약 너를 조금만 사랑했더라면 그날 나는 너에게 다시 마음이 생기지 않았을뿐더러 이별을 맞이하지 않았을 수도 있었다. 그러나 너는 나에게 '처음'이라는 두 글자로 아로새겨졌던 사람이었으므로, 모든 게 서툴기만 했던 나를 있는 그대로 사랑했던 사람이었으므로 더 늦기 전에 너를 붙잡았다.

나의 진심 어린 고백 끝에 우리가 헤어진 지 정확하게 일 년이 됐던 날, 나의 고백대로 너는 나를 끌어안은 뒤 한여름 밤에 눈이 내리게 하였다. 그 끝에서 너는 꽃으로 피어나며 마침내 나에 무채색의 세상을 다채롭게 만들었다. 하늘, 별, 바람, 그리고 너까지 모든 걸 아름답다 못해 찬란하게 만들며 나의 세상을 빛으로 물들였지만, 모든 건 사실 네가 나에게 자신으로써 더는 후회하지 말 걸

얘기했던 거였다.

별이 새벽 여명에 희미해진 시간, 빗소리가 고요한 적막을 서서히 깨기 시작할 무렵이었다. 평소에는 달갑게 느껴지지 않은 비가 이 순간만큼은 기분 좋게 느껴지며 반가웠다. 혼자 아닌 둘이라는 생각에 산뜻한 기분까지 들었지만, 침대에 벅 차 나온 순간 기분은 서늘하다 못해 차갑게 뒤바뀌었다.

네가 이번에도 자신이 그저 우연일 뿐이라 얘기하며 눈이 끝내 녹듯이 내 눈에서 사라진 거였다. 다급히 일어나 방을 살펴봐도 네 흔적이 온데간데없었는데, 허탈한 마음에 침대로 주저앉으며 고개를 떨군 순간이었다.

책상 위의 메모장에서 너의 마지막 흔적을 발견하게 됐던 건데, 운명의 여신은 너와 헤어지는 걸 필연으로 실을 끊었다. 그 끝에서는 결국 흉터로 남을 수밖에 없는 상처를 내며 너를 평생 기억하게 하였고, 나는 그 의도대로 상처가 아물지 않으며 너의 마지막 이야기를 오랫동안 아로새기게 됐다.

"너는 나를 왜 사랑했어?"

제10화 꽃의 색채를 찾아 떠난 순례

2020년 6월 18일, 한 번조차 학교에 나가지 않은 채 한 학기가 끝났다. 그러나 현재에 다시 살기 시작하며 시간은 멈춘 사회에서도 속절없이 흘렀는데, 기대를 품게 되며 다시 '계획'을 짜고 살기 시작했던 게 큰 몫을 차지했다.

계획을 짜고 살기 시작하며 나는 두 가지의 큰 결정을 내렸다. 하나는 자취방을 정리한 뒤 본가에 내려갔던 거로, 어두컴컴한 방에서 홀로 과거에 빠진다 한들 나는 너의 예쁜 미소만 떠올랐을 뿐이었고 끝내 너를 결론짓지는 못했다. 무엇보다도 과거는 현재를 살려는 방법을 얻는 '수단'에 불과하지만, 나는 너를 매듭지으려고 노력할수록 실오라기와 같은 기억에 얽매여 다시 과거에 빠져들 뿐이었다. 이에 현재를 먼저 살 필요를 느끼며 사람들과 현재를 살 수 있는 장소, 그리고 너와 내가 얘기를 시작했던 장소인 집으로 내려갔다.

다른 하나는 아르바이트를 시작했던 거로, 사람들과 부딪히며 '생동감'을 느끼고 싶었다. 살아 숨 쉬는 걸 생생히 느낄 때 현재에 집중할 수 있는 건 물론 그 모습에 답을 찾을 수 있을 것 같았다. 하지만 코로나19로 할 수 있는 게 제한되며 시작했던 일은 평일 야간 편의점 아르바이트로, 사람들을 접할 일은 거의 없었다. 출퇴근할 때만 사람들을 접했을 뿐 대부분 시간에는 편의점이 아파트 단지에 있으며 사람들은 거의 찾아오지 않던 거였지만, 이 시간에 근무했던 게 나에게는 오히려 더 좋은 결과를 가져왔다.

일하는 동안 머리가 말끔해지며 과거에 잠식되지 않은 채 네가 나에게 던진 숙제를 바라볼 수 있게 됐던 거로, 입고 물품 정리, 매대 진열, 청소 외에 크게 할 일이 없으며 시간이 많이 남았다. 자연스레 밤의 심연을 보내는 대신 그 위에 너를 처음 만났던 날부터 하나둘씩 과거를 그리게 됐었던 거였지만, 네가 마지막에 눈 녹듯 사라졌던 장면까지 여러 번 과거를 덧칠해도 답은 나오지 않았다. 교대하는 여명의 아침 또한 현재만을 데려왔을 뿐이었고 답까지는 데려오지 않았다.

계절이 다채로운 봄에서 찬란하게 녹음이 드리우는 여름으로 넘어가도 상황은 여전했다. 되레 제자리를 걷는 시간이 길어질수록 의지가 꺾여 숙제는 저절로 한숨을 동반했는데, 종강 후에 한 달이 넘어갈 때였다. 월요일이 되자마자 비가 내리기 시작하며 먹구름의 그림자가 세상을 뒤덮었다. 잠시 머물 거라는 예상과 달리 한동안 떠나지를 않았는데, 꿉꿉한 날씨와 더불어 온 세상을 우중충하게 뒤덮어 제법 기분이 안 좋을 법했다.

가뜩이나 전례 없는 상황으로 시국이 혼란했던 만큼 말썽을 부린 비가 미울 법했지만, 이상하다시피 비를 볼수록 나는 비가 더 내리길 바랐다. 비를 맞지도 않았고 얼룩으로 뒤덮여 있지도 않았지만, 비를 볼수록 너라는 흔적이 씻겨져 나가며 마침내 그 끝에서 나의 색채를 온전히 찾을 거만 같아 비가 한껏 내리기를 바랐다.

신은 나의 기도를 들었던 건지 시간이 지날수록 정말 비가 더욱 내리게 하였는데, 나는 그 끝에서 생각대로 나의 색채를 되찾지는 못했다. 당연히 너의 흔적도 그대로 있었지만, 자연의 신비 끝에서 나는 순례의 길을 떠날 거를 결정했다. 비의 끝에서는 나의 색채를 찾을 거만 같았을 때, 자연의 끝에서는 나의 색채를 분명히 찾을 수 있을 거 같았다. 무엇보다 비의 끝에서 자연이라는 고전(古典) 안에 숙제의 답이 적혀 있을 거라는 확신을 얻으며, 나는 혼자서 답을 찾는 거를 멈춘 채 자연이라는 고전 안에서 순례의 길을 떠날 거를 결정했다.

"안 돼."

"왜?"

"미쳤어? 코로나19는 둘째치더라도 30도가 훌쩍 넘는데, 만약 돌아다니는 중에 쓰러지면? 잘못되면 어떡하려고 여행을 떠나?"

"여행이 아니라 순례. 그리고… 작년에 동아리 창립제 끝난 뒤 기억나? 무언가가 마음에 계속 걸린다 얘기했던 거…."

"…"

"이번 순례에서 그 답을 찾으려고 떠나는 거야. 너를… 지금보다 더 사랑하고 싶으니까. 현재에 온전히 집중한 채로 너만을 미래에 그리고 싶으니까."

"… 대신 앞으로는 오전 아홉 시마다 오빠가 전화해. 약속해."

가족은 전역한 뒤 여행을 핑계 삼아 한두 번 얘기를 나눈 끝에 설득했지만, 유명진이 계속 반대했다. 가뜩이나 계절학기 이후부터 만나지 못했는데 만약 잘못될 경우, 그녀에게 나의 마지막 모습이 눈물을 흘리는 모습으로 떠오를 게 분명했던 거였다. 하지만 숙제를 해결하는 데 오랜 시간이 걸렸을뿐더러 이번에도 못 끝낼 때는 영영 못 끝낼 거만 같았다. 이를 제쳐놓더라도 그녀가 정말 '너'가 되기 위해서, 그런 너와 '우리'라는 이름에 화원을 제대로 꾸리기 위해서는 이번 순례의 끝에서는 정답을 반드시 찾아야만 했다.

처음에는 애써 명분을 얘기하며 어떻게든 설득하려고 했지만, 결국 진실을 털어놓은 뒤에야 그녀가 허락하며 나는 순례를 떠날 수 있었다. 그렇게 편의점 인수인계까지 빠르게 끝냈던 나는 팔월의 첫째 날, 비의 정화(淨化)와 함께 순례를 시작했다.

생애 처음 홀로 떠나는 순례였던 만큼 시작할 땐 궁금함이 컸다. 과정에서 무엇을 경험할지부터 이로써 심정에 어떤 변화를 겪을지, 그 끝에서 나는 너의 흔적을 말끔히 지운 채 나의 색채를 온전히 찾을 수 있을지까지 나의 모든 발걸음은 호기심으로 가득 찼다.

목포를 거쳐 완도를 거친 뒤, 여수에 도착할 때까지만 해도 나는 성지(聖地)들이 주는 새로움에 신기함만이 가득 찼다. 그동안 대중 매체나 책에서 경험했던 장소들을 몸소 경험하며 반가움까지 첨가 됐지만, 발걸음을 옮길 때마다 피로 또한 함께 움직이며 신기함은 점차 고단함으로 잠식됐다. 급기야 감염에 따른 제한은 고단함에 신경질까지 가미해 순례를 시작한 지 사흘 만에 순례를 유예 또는 단념할까 고민하게 하였다.

가볍게 삼십 도가 넘는 날씨에 마스크라는 사슬이 걸리며 희망이 아지랑이처럼 희미해져 갔던 거로, 어느 순간부터는 순례가 부질없다는 생각마저 들었다. 금전적인 낭비부터 시간적인 낭비, 그 끝에서는 남들보다 뒤처지는 중이란 생각마저 들며 순례라는 이름으로 오기를 부린 것 같았지만, 비관적 생각들이 나를 어둠으로 뒤엎을 때쯤 땅거미가 지기 시작했다.

빛까지 어둠에 뒤엎어지기 시작했던 거였으나 그 모습에서 나는 되레 희망을 느꼈다. 어둠으로 사라지는 와중에도 강렬하게 빛을 내는 모습이 마치 희망을 잃고 있는 나를 대신하여 대속하는 거만 같았고, 반드시 돌아올 걸 약속하는 거만 같았다. 무엇보다 자신의 빛을 나의 확신에 전달하며 내가 순례의 계기를 다시금 떠오르게 하였다. 이에 빛이 어둠에 잠식될 무렵, 나는 반대로 빛을 되찾아 순례의 길에 고단함을 떨친 채 앞으로 발걸음을 옮기게 됐다.

밤의 심연에 외려 빛을 찾았던 나는 다음 날, 도(道)를 넘어가기 전 자연이라는 고전을 제대로 정독하고자 텐트를 샀다. 작심삼일이 지나며 날씨에 어느 정도 적응했을뿐더러 숙소를 쭉 잡고 잘 수도 없는 노릇이라 돈도 절약할 겸 가방에 넣고 다닐 수 있는 조그마한 텐트를 광양에서 구매했다.

이날을 포함하여 이후 나흘간은 계획대로 텐트에서 잤다. 씻는 건 목욕탕에서 하면 됐고 속옷은 시장에서 구매하면 됐다. 겉옷은 폴리에스터 소재라 물로 씻은 뒤 바닥에 널어놓아도 금방 마르며 굳이 숙소에서 잘 필요가 없었던 거였으나, 생각과 현실은 언제나 달랐다.

여유롭게 주말 아침을 맞이했던 사람들과 다르게 나는 아침부터 정신이 없던 거로, 그냥 스쳐 지나갈 줄만 알았던 소나기가 장대비로 변하며 텐트를 무너뜨리기 시작한 거였다. 꽤 거세게 내린 탓에 텐트는 결국 무너졌는데, 다행히 나는 무너지기 직전 짐을 다 싸며 텐트 밖에 무사히 나올 수 있었다.

그렇지만 아침부터 운을 다 썼던 걸까? 전날 핸드폰을 켜놓고 잤던 건지 아니면 물이 들어갔던 건지 핸드폰이 방전됐다. 전화를 못 하게 됐던 건 둘째치더라도 나아갈 방향까지 못 찾게 되며 졸지에 미아가 됐던 건데, 급히 인근 마을에 갔으나 이미 호우로 모두 문을 닫은 상태였다.

항상 열려있을 법한 편의점도 마찬가지로, 갔을 때는 문이 닫혀 있었다. 하는 수 없이 나는 어제 경주 시내에서 무료 야영장이 있는 해변까지 왔던 기억을 빌려 버스 정류장에 간신히 도착했지만, 호우만이 계속 찾아왔을 뿐이었고 버스는 올 기미가 전혀 없었다. 애써 인내하며 기다려도 버스는 물론 차까지도 도로에 다니지 않았는데, 계속 비에 젖은 채 있다 보니 어느 순간부터 오한까지 나를 찾아왔다. 다음에는 버스 대신에 열이 찾아올 게 분명하며 그제야 나는 시내 방향으로 움직이기 시작했지만, 물속에 있지 않았으나 계속 물속을 걷는 기분이었다.

아침부터 먹은 게 없던 만큼 활력이 샘솟지 않은 거도 한몫했겠으나 목적지를 모른 채 끊임없이 펼쳐졌던 길이 막막하게 느껴졌던 거였다. 심지어 걷는 도중에 물까지 떨어진 뒤부터는 속까지 타들어 가며 걷는 내내 헛구역질이 났다. 정말로 죽겠구나 싶으며 어느 순간부터는 생각조차 하지 않은 채 무작정 걷기 시작했다. 정확히 생각하게 되면 쓰러질 거만 같아 생각을 멈췄던 거였으나 다행히 생각을 멈춘 지경에 이르자 신은 아직 죽을 때가 아니라며 이후 몇십 미터 남짓 앞에서 정자를 발견하게 하였다.

크기는 조그마하나 비를 피하는 데는 무리가 없을 정도라 나는 정자에 도착하자마자 비를 피하러 들어갔고, 조금이나마 쉬고자 정자에 드러누웠다. 그제야 숨통이 트였던 나는 이윽고 하늘을 바라봤는데, 비가 눈으로 떨어지기 시작했던 건지 시야가 점점 흐릿하게 변했다.

흐린 하늘이 마치 내 기분을 대변하며 위로가 됐던 건지, 아니면 흐린 하늘처럼 내게 답이 보이지 않자 슬펐던 건지 모르겠다. 하나 확실한 건 흐린 하늘을 보며 하염없이 눈물이 쏟아지기 시작했던 건데, 행여나 누군가 나의 울고 있는 모습을 볼까 부끄러웠던 나는 한쪽 팔을 눈에 올린 채 울음소리를 빗소리에 감췄다.

"보살님, 무슨 번뇌에 빠져 여기 계십니까?"

빗소리에 나의 흔적을 한참 지울 무렵, 중후한 목소리가 빗소리를 뚫고 들리기 시작했다. 깜짝 놀란 나는 곧 몸을 일으켰지만, 어지럼증으로 금방 눕게 됐다. 대신 고개만 돌린 채 목소리가 나는 쪽을 바라봤는데, 나이를 가늠할 수 없는 스님 한 분이 계셨다.

출가하고 머리를 밀었다 한들 얼굴에서 나이가 조금은 드러날 법했지만, 스님의 모습은 삼십 대 후반 같기도 했고 육십 대가 조금 못된 거 같기도 했다. 그리고 영문을 모르겠으나 목소리를 듣고 난 뒤부터 마음이 한결 편안해지며, 그 누구에게조차 솔직하지 못한 성격이었으나 그 순간만큼은 이상하다시피 잠시 솔직해지고 싶었다.

"… 사랑했던 사람과 이별했습니다. 그러나 그녀를 왜 좋아했던 건지, 그녀로 지금 마음에 걸린 게 무엇인지, 무엇보다 그녀가 대체 나에게 있어 어떤 존재이길래 제가 이처럼 잊지를 못하는 건지를 모르겠습니다. 정말… 모르겠습니다."

나는 생애 처음으로, 그것도 신부님이 아닌 스님에게 진심 어린 고해성사를 했다. 그동안 미사 전에 성체 조배를 위해 형식적으로 했던 거와 달리 이번만큼은 내 마음을 모두 담아 고백했던 거로, 스님은 내 말을 듣고서는 생각에 잠긴 듯했으나 곧 얘기를 꺼내기 시작했다.

"현재의 생이 일생(一生)인데, 길거리에 옷을 스치는 인연이 삼백생(三百生)이라 합니다. 길거리에 스치듯 지나간 인연조차 이처럼 수많은 생이 모여져서 만들어진 건데, 하물며 연인과의 인연은 얼마나 많은 생이 모여져서 만들어졌겠습니까? 현재의 생보다도 더 긴 인연과의 아픔인데 당연히 아플 수밖에 없고, 고뇌에 빠질 수밖에 없습니다. 그러니 아픔을 잊으려고 하지 말고, 다음 생에 만날 날을 기약하며 빗장 속에 고이 간직하십시오. 그때는 지금과 다른 모습일 수 있겠지만, 그 모습조차 사랑하는 이인 건 틀림없습니다. 형태는 다를지언정 사랑은 그대로일 테니, **사랑했던 사람의 모습을**

기억하는 그 모습 그대로 고이 간직하십시오."

　스님은 그 끝에서 나를 돈오(頓悟)에 이르게 했는데, "사랑했던 사람의 모습을 기억하는 그 모습 그대로 고이 간직하십시오."라는 말은 생각지도 못했기 때문이었다. 그동안에 현재를 살고자 나는 과거를 벗어나려 했건만 스님께서는 못 벗어난 게 당연할뿐더러 그 모습 그대로를 고이 간직하라 하며 내 생각의 틀을 깨부쉈던 거로, 말씀 뒤에도 비는 계속 내리고 있었으나 덕분에 마음에 날씨는 개다 못해 맑아지게 됐다.

　스님, 어쩌면 잠시 내게 깨달음을 주고자 내려왔던 신에게 이후 합장을 올린 뒤, 나는 점수(漸修)를 위해 곧바로 순례를 재개했다. 아픔이 당연할 수밖에 없단 말처럼 순례 또한 깨달음을 위해 당연할 수밖에 없음을 생각하며 다시 순례길로 접어든 건데, 대구를 끝으로 경상북도 너머에 강원도까지 도착했건만 숙제의 답은 찾지 못했다.

　강원도에서 마지막 아침을 맞이했을 때도 답을 찾지 못했던 건 여전했지만, 마냥 생각한다고 답이 나오는 건 아니었다. 무엇보다 답을 얻으려고 할수록 되레 못 얻는 걸 알았으므로, 나는 다음 순례지인 서울로 넘어가기 전 잠시 머리를 식힐 겸 경포 해변을 방문하여 바다를 볼 걸 결정했다.

　여름의 유명 휴양지답게 경포 해변에 도착했을 때는 나만 혼자서 온 것만 같았다. 수많은 연인부터 그 결실인 부부, 열매를 세상에 내놓고 다음 인연을 준비 중인 노부부까지 내가 무채색으로 상영 중인 거와 다르게 사람들은 모두 다채로이 상영 중이었다.

"아저씨, 가방 좀 치워주실래요?"

컬러 영화를 관람한 지 얼마 안 된 때였다. 혼자 벤치에 앉은 채 해변의 다채로움을 관람 중이었는데, 대뜸 없이 내게 들릴 리 없는 낯선 여성의 목소리가 들린 거였다. 깜짝 놀랐던 나는 곧 목소리가 들린 쪽으로 고개를 돌렸는데, 십 대는 아닌 거 같으나 스무 살이라고 하기에는 모호한 사람이 서 있었다. 그 사람은 나보다도 더 낮은 명도를 보인 채 서 있었는데, 처음에 나는 어안이 벙벙했으나 주변 벤치에 사람들이 꽉 찬 걸 발견하며 상황을 파악하게 됐다. 이에 가방을 품에 끌어안은 뒤 다시 해변만을 바라보기 시작했으나 이번에는 메케한 냄새까지 나기 시작했다.

역한 냄새 속에 쌉쌀한 향이 익숙하여 나도 모르게 냄새가 나는 쪽으로 고개를 돌려봤는데, 역시 사라지는 담뱃재보다도 더 낮은 명도의 사람이 담배를 피우고 있던 거였다. 벤치가 금연 구역도 아니었고 나도 비흡연자는 아니었지만, 그 모습에 나는 해변 너머에 푸른 바다보다 더 깊은 사연이 있음을 알아채며 동질감으로 어느 순간 먼저 말을 건네기 시작했다.

"저기, 혹시 몇 살이세요?"

"… 왜요?"

"아… 담배 피운 지 얼마 안 된 거 같아서요. 담배를 마신 뒤에 내뱉어 봐요. 바로 입에서 내뱉는 거보다 응어리를 푸는 데는 마신 게 훨씬 나을 거에요."

"… 콜록! 콜록!"

예상대로 말을 건네자마자 날카롭게 돌아왔다. 그러나 사연 있는 얼굴까지는 숨기지 못해 눈가에는 얇으나 그렁그렁 눈물이 맺혀 있었는데, 그 모습에 나는 가슴에 앙금이 있는 게 분명하다 생각하며 담배 연기를 속으로 마시는 방법을 알려줬다.

화장하지 않은 청초한 얼굴에 반해 붉은 입술로 미루어보아 이 또한 예상은 했으나 꼬마는 역시 담배를 피운 지 얼마 안 됐었다. 루주를 바르면 입술 색깔이 분명 없을 텐데 있는 걸 보며, 담배를 어느 정도 피웠으면 잇몸 색깔이 변색 된 게 보였을 건데 안 된 걸 보며 예상은 했건만 막상 속 담배에 연거푸 기침을 내뱉자 예상이 맞아떨어졌다 사실에 나도 모르게 웃음이 나와버렸다.

"씨… 짜증 나."

"왜 이렇게 화가 많아요? 앞으로 웃을 날이 화내는 날보다 더 많을 텐데?"

"하… 아저씨가 무슨 상관인데, 왜! 아까부터 참견하세요?"

"… 그냥, 나처럼 무슨 사연이 있는 거 같으니까?"

하지만 너무 놀린 걸까? 환히 웃는 내 모습을 보며 꼬마는 결국 화를 내고 말았다. 드디어 쌓아놓은 울분이 터진 거만 같았는데, 그제야 나는 꼬마가 더 폭발하기 전에 심정을 솔직하게 털어놓았다. 자세한 내막까지는 말하지 않았고 간솔히 있는 사실 그대로를 얘기한 거였으나, 꼬마는 '사연'이라는 단어에 꽂힌 건지 담배 대신에 얼굴을 움켜쥐며 울기 시작했다.

세상을 잃은 아이처럼 울기 시작했는데, 그 모습에 나는 동질감이 더 결속되며 스님의 가르침 대로 아이에게 잇는 대신 받아들일 거를 전해주고 싶었다. 누군가에게 내 이야기를 전달하는 게 그때 또한 썩 내키지는 않았지만, 내가 누군가에게 영향받은 거처럼 나 또한 누군가에게 영향을 주고 싶었기에 한숨을 내쉬며 내 이야기를 시작했다.

"학생이 무슨 사연이 있는 줄은 모르겠어요. 하지만 왠지 모르게 저와 같을 거만 같아서 제 이야기를 꺼내자면, 저는 짝사랑을 칠 년간 한 뒤에 마침내 짝사랑과 사귀게 됐어요. 이후 약 이 년간 연애하게 됐는데, 말할 수는 없으나 그녀의 개인적인 사정으로 헤어지게 됐어요. 그리고 정확히 일 년 뒤 우연인지 아니면 필연인지 그녀와 다시 만나게 됐는데, 그때 그 사람이 헤어질 결심을 하게 된 이유를 말해주더군요. 무엇일 거 같아요?"

"…"

"하하, 너무 어렵죠? 정답은 제 희생하는 모습에 헤어지는 걸 결정하게 됐데요. 웃기죠? 받는 걸 생각조차 하지 않은 채 주는 게 사랑이라 생각하며 주기만 했는데, 오히려 이를 희생으로 생각하며 헤어지는 걸 결심했다, 나까지 자신의 세상을 짊어지게 하고 싶지 않아 헤어지는 걸 결심했다 얘기한 게?"

"정말… 어렵네요, 사랑."

"맞아요, 어렵죠…. 만약이란 건 세상에 없지만, 만약 제가 조금만 사랑했다면 지금 여기에 이를 일은 없었겠죠. 학생을 만날 일도 없었을 거고, 어쩌면 헤어질 일도 없었겠죠. 다만, 이 또한 이제는 운명이라 생각해요. 그래서 담담히 지금 순례길을 걷는 중이고 그 안에서 깨닫는 중인데, 앞서 말한 대로 잘 모르겠으나 학생이 저와 같을 때 스님의 말씀이 도움 될 거 같네요."

"무슨 말씀이요…?"

"경주에서 어느 한 스님에게 들은 건데, 이번 생의 인연이 여기서 끝난 거일 뿐, 다음 생에 또 이어질 테니까 잊으려고 하는 대신 가슴 한편에 고이 간직하라고. 정말… 스님의 말씀대로 잊으려는 대신 받아들인 채 학생도 현재의 인생을 사셨으면 좋겠어요. 저도, 스님의 말씀대로 현재의 인생을 살기 위해 지금 노력 중이니까."

그러나 생각보다 길게, 담백하게 털어놓자 조금은 속이 후련했다. 오히려 내가 응어리 진 게 풀어진 거만 같았으나 아이의 표정을 보자 얘기를 잘했다는 생각이 들었을뿐더러 과거의 족쇄도 한결 가벼워질 수 있었다. 내 의도대로 됐던 건지 아이가 어느 순간 눈에서 다시 세상으로 물을 내보내고 있었다.

일정하게 파도가 밀려오고 나가는 소리부터 기러기의 끼룩끼룩 소리, 사람들의 웃음소리가 컬러 영화에서 상영되는 도중 우리는 무채색으로 상영되며 서로가 한참 말없이 동화(同化)됐는데, 아이 또한 결심이 섰던 건지 마침내 입을 열며 본격적인 동화에 나섰다.

"저는 작년에 수능이 끝난 뒤 남자친구를 사귀었어요. 고등학교 2학년으로 올라갈 때쯤부터 저한테 몇 번씩 고백했던 친구였는데, 어색해지는 게 싫어 계속 거절했다 수능이 끝난 뒤 결국 받아줬어요. 그때부터 보는 빈도가 줄어들기 시작하니까 그제야 놓칠 때 후회할 걸 알게 돼서, 어느 순간 저도 마음이 생긴 걸 알게 돼서 받아줬던 건데, 저는 대학에 다 떨어졌는데 그 친구는 다 붙었네요?"

"… 그때부터?"

"네, 그때부터죠. 처음에는 그 친구가 재수가 아니라 삼수해도 상관없다, 기다리겠다 해놓고 재수학원이 끝날 때마다 데리러 왔는데, 학기가 시작되자마자 계속 행사에 나가더니 하다못해 주말까지 안 오더라고요? 그때까지는 신입생인 만큼 즐기느라 바쁘겠다고 단순하게 생각했는데, 6월 모의고사가 끝난 날 갑자기 우리 집 앞으로 찾아오더니 헤어지재요. 나쁜 놈."

"… '안 보이면 멀어진다.'"

"여기서 끝난 줄 알았죠? 구차한 거 아는데, 바로 그 자리에서 엉엉 울며 매달렸죠. 그러니까 무슨 말 한 줄 알아요? "여자친구 사귄 지 진작 백 일이 넘었어."라고. … 기껏 사람 마음 다 흔들어 놓고 열과 성을 다하니까 가버리네요? '본전 뽑았으니 됐다.'라는 생각밖에 안 들고요. … 근데, 저도 웃긴 게 저는 여기 왜 왔는지 아세요? 그 친구, 아니 제 첫사랑과 처음이자 마지막으로 여행했던 장소가 여기 경포 해변이거든요. 그때는 참, 날씨가 춥다 못해 얼어붙을 거 같았지만 뜨거웠는데 지금은 왜 녹아내릴 거 같지만 얼어붙은 건지… 그리고 왜 얼어붙은 게 싫어 계속 녹이려고 홀로 애쓰는 중인 건지 모르겠어요…."

세상은 빠르게 돌아간다. 우리는 그중 하나로써 잠시 머문 뒤 떠난다. 사람들도 마찬가지로, 시간이 제한된 만큼 자신에 삶에 관련된 것만 관심을 둔 채 나머지에는 조금도 관심을 두지 않는다. 나 역시 자신조차 간수 하는 게 어려웠으므로, 전역한 이래 나와 관련된 사람 외에는 일절 관심을 두지 않았다. 하지만 이날만큼은 스물다섯짜리 남자아이가 스무 살짜리 여자아이에게 관심을 둘 수밖에 없었다. 나이, 성별은 다르지만 똑같은 이유, 똑같은 아픔을 가졌으므로 해결할 수는 없으나 옆에서 함께 아파줄 수는 있었다.

"비자나무로 만든 바둑판 얘기 아세요? 이 나무로 만든 일등품 바둑판 위에 특급품이 있는데, 머리카락과 같은 가느다란 흉터가 보인 게 특급품이래요. 비자나무의 그 특성에는 유연성이라는 게 있는데, 한번 균열이 생기면 헝겊 같은 걸로 덮어놓은 뒤 몇 년이든 간에 붙도록 내버려 둔 대요. 그래서 결합하면 유연성을 실제로 보인 만큼 그 가치가 곧 인정받아 특등품이 된 대요."

"'김소운' 작가의 「특급품」에서 나온 내용 아니에요? 인생은 과실의 연속이므로 유연한 태도를 함양할 게 글의 목적이고?"

"맞아요. 하지만 저는 그보다는 비자나무의 특성, 즉 상처가 생긴 뒤 유연성에 주목하고 싶어요. 저희가 많이 산 건 아니지만 짧게 산 거도 아니잖아요? 과정에 수많은 우여곡절도 겪었지만, 지금은 또 아픔에 의해 갈라진 상태이고? 그러나 갈라진 게 붙으면 특급품이 되듯 우리 또한 이 아픔을 이겨낸 뒤 다시 붙으면 전보다 나은 특급품이 되지 않을까요? 그러니까… 힘내요. 분명 우리가 아직 이번 생에 천생연분을 미처 못 만난 거니까, 그 사람이 분명히 같은 세상에 살고 있을 테니까 서로 힘내요…."

동화는 마침내 위로로 결론됐는데, 그 끝에서 나는 내 말 따라 아픔 끝에 좋은 세상이 오기를 바랐다. 같은 세상에 붉은 실로 연결된 사람을 만나서 더 아픔 없는 이야기를 써 내려가길, 어쩌면 이미 만난 지도 모를 당신에게 내 마음이 굳어져 가기를 바랐다.

"와, 아저씨. 정말 꼰대 같은 거 아시죠?"

"아니, 그것보다도 아까부터 계속 아저씨라 하네요? 저랑 몇 살

차이 나지도 않는데!"

"히히, 그렇다면 삼촌이라 불러드릴까요?"

"하… 됐고, 그만 집에 가시죠? 내일부터 다시 일상으로 돌아갈 텐데, 오늘은 가서 쉬시죠?"

아이의 말투는 여전히 공격적이었으나 표정엔 눈물 대신 웃음이 피어났다. 말하지 않았으나 위로가 됐던 게 분명하며 나는 괜스레 기분이 좋아졌는데, 아이 또한 기분까지 좋아진 건지 아픈 기억을 좋은 기억으로 바꾸고자 사진을 한 장 찍어달라 부탁했다. 이에 나는 찰나가 영원히 기억되도록 멋진 사진을 찍어준 뒤 강릉역으로 향했지만, 이때 역시 아이는 나와 함께 했다.

마음이 편해진 건지 기차에서부터 내 어깨에 기대 편안한 얼굴로 잤는데, 표정을 보며 문득 '이 또한 사랑이 아닐까?'라는 생각이 들었다. 연인에게 느껴진 설렘과 다르나 왠지 모르겠는 '책임감'과 '뿌듯함'이 느껴지며 가슴이 두근거린 거로, 언젠가 사랑의 결실로 열매를 맺을 때 이 감정을 다시 느낄 거만 같으며 나는 잠시이나 과거를 잊은 채 미래를 기대하게 됐다.

사랑의 가지 중 하나를 새롭게 경험하다 보니 어느새 종점인 서울역에 도착했는데, 만약 내가 그대로 자취방에 살았을 때면 그날 아이가 사는 광진구까지 함께 갔을지도 모른다. 어쩌면 분위기에 취해 아이는 집 대신 나와 함께 자취방에 들어가 하룻밤에 그녀가 될 수도 있었지만, 나는 소중한 경험을 욕정으로 더럽히고 싶지는 않았다. 무엇보다 미래에 함께 그리고 싶은 사람에 대한 배신감을 평생 마음 한편에 남겨두고 싶지는 않았으므로, 나는 1호선으로 갈

아타기 전 아이에게 마지막 인사를 건넸다. 인연이 돼 다시 만날 때는 눈물 대신 미소를 짓기를 기도하며 에스컬레이터를 타려 했는데, 아이가 떠나려던 순간에 내 손목을 붙잡았다.

"저, 삼촌… 아니, 오빠! 번호 좀 알려주세요!"

"네? 아… 네!"

"… 반드시 오빠가 있는 대학으로 들어갈게요. 그러니까 만날 때 모른 척하면 안 돼요?"

"허허, 일단 합격부터 하시죠? 아무튼, 주님께서 당신이 슬픔의 눈물을 흘린 만큼 기쁨의 눈물을 흘리게 하길 바랍니다. 꼭 제가 있는 대학으로 오세요!"

아이는 하루의 인연으로만 끝나는 게 아쉬웠는지 나에게 번호를 물었던 건데, 순간 고민했으나 정말 인연이라 하면 어떻게든 만날 게 분명했으므로 곧 번호를 알려줬다. 그리고 악수를 끝으로 각자 하루의 종점을 향해 헤어졌는데, 선교사 바오로처럼 그동안 신의 존재 자체를 의심했던 나는 이때까지 우연 또는 필연의 경험들이 악수의 끝에서 점철되며 위로 너머의 희망을 느끼게 됐다.

회차 지점을 넘어가는 순간 진정으로 신을 믿기 시작하게 됐던 거로, 그 끝에서 나는 신에게 순례길의 끝에서 숙제의 답을 찾아 미래에 좋은 영향력을 끼칠 수 있기를 기도했다. 모든 게 당신의 뜻이라는 걸 얘기할 수 있기를, 나처럼 답을 못 찾는 사람들도 당신의 기적에 위로 너머 희망을 느낄 수 있기를 기도하며 나는 다시 순례길을 나섰다.

제11화 꽃에 우연과 필연의 역사

"그래서, 오늘은 어디 갈 건데?"

"성남! 율동공원 한 번 방문하려고. 군대 있을 때 국군수도병원 가는 길목에서 우연히 보게 됐는데, 그때 정말 예뻐 보이더라."

"흠… 이번 여행, 아니 순례를 계속 들어보면 과거의 행로에서 현재 정답을 찾는다… 이거네?"

"그렇지? 자연만큼은 옛날이나 지금이나 똑같을 게 분명하니까."

서울에서 사흘을 보낸 뒤, 인천에서 역시 사흘을 보냈다. 나흘 아침에 드디어 아래로 내려갈 걸 결정하며, 올라올 때처럼 내려갈 때 또한 과거의 행로에서 현재 정답을 찾을 걸 결정했다.

"아무튼 몸조심하고, 전화도 꼭 잊지 말고. 저번에 까먹으신 거, 아직도 저는 서운합니다?"

"아니, 그때 핸드폰이 방전됐다니까… 아무튼 좋은 하루…"

"맞다, 수강 신청 잊지 말고! 벌써 한 시간도 안 남았네? 예비 수강 신청은 했지?"

"어떻게 막 학기인데 수강 신청을 나보다 더 챙겨? 강제 입력도 당연히 될 텐데?"

"전화도 잊어버렸는데 수강 신청도…"

"그만!"

이때 또한 하루의 시작은 유명진과 전화로, 목소리를 듣자마자 나도 모르게 웃음꽃이 피었다. 변함없는 목소리, 변함없는 통화이나 이상하다시피 통화할 때마다 매번 새로운 기분에 설렘을 느끼며 미소가 저절로 지어졌던 건데, 하루의 시작만큼은 그녀 덕분에 항상 기분 좋게 시작했다.

팔월 셋째 주의 시작도 마찬가지로, 기분 좋게 하루를 시작하며 숙소에 나왔다. 콧노래까지 흥얼거렸는데, 머지않아 기쁜 마음에 더할 나위 없게 반가운 사람에게 연락이 왔다.

"여보세요?"

"야! 김민재! 수강 신청 잘했나?"

"나는 한 번도 실패한 적 없지! 너는?"

"하… 나는 이번에도 강제 입력하게 생겼다. 그것보다 너 지금 어디냐?"

수강 신청 날이었던 만큼 친한 동기 중 한 명에게 전화가 왔던 거로, 비대면으로 강의가 바뀐 후 안부를 물을 겸 오랜만에 연락이 왔던 거였다. 그러나 우연은 여기서 그치지 않고 반년 만에 반가운 얼굴까지 만나게 했는데, 알고 보니 그날 목적지로 가는 길에 이 친구에 본가가 있었던 거였다. 우연은 곧 필연이 되며 이날 오후 한 시에 우리를 만나게 했는데, 순례하는 동안에 계속 햇볕을 내리쬐서 그런지 친구는 나를 보자마자 피부가 까무잡잡하게 변한 걸 얘기하며 놀라움을 감추지 못했다.

"대체 걔가 왜 좋은 거야…?"

"모르겠다. 알면 순례를 시작조차 하지 않았겠지, 하하."

"하… 나는 누군가를 그렇게 사랑한 적은 없어서 뭐라고 말해야 할지는 모르겠다."

"뭐, 할 말 없으면 안 하는 거지! 이렇게 서로 만난 것만으로도 나는 좋은데?"

친구는 내가 그동안 마음고생했던 게 나름은 티가 났는지 놀라움이 머지않아 안타까움으로 변하며 나를 위로했다. 그 모습에 나는 진정으로 나를 사랑하는 사람이 세상에 있는 걸 다시금 발견하며 감사함에 미소가 저절로 지어졌다.

"이제 내가 알고 있던 김민재로 서서히 돌아가고 있네?"

"그게 무슨 말이야?"

""잘 웃게 됐고 긍정적으로 변했다."라는 말이지! … 김민재, 과거에 현재를 더 쏟아붓지 말자. 지난날보다 지나갈 날이 더 많이 남았다?"

"인마, 알아. 아니까 더 잘 살려고 지금 순례 다니는 거지."

"그래… 그렇다면, 조금만 더 쏟아붓고 빠르게 현재로 돌아오자. 응원한다!"

친구 또한 이런 내 마음을 알았던 건지 씩 웃으며 얘기를 이어갔는데, 끝에서 나는 원래 나의 색채를 조금이나마 되찾았을뿐더러 희망을 가득 안은 채 순례길을 다시 나아가게 됐다.

그날 안개로 인한 잿빛 세상은 몽환적인 분위기까지 들게 하며 나의 가슴을 부풀어 오르게 하였지만, 안개는 며칠 동안 계속되며 부푼 가슴을 당연히 만들었다. 정확히 안개가 계속되며 꿈속을 걷는 게 현실이 돼 버렸던 거로, 어느 순간에 순례도 여행이 되며 그 목적을 잊게 됐다. 그저 집을 떠나기 전 정했던 대로 무작정 걷기 시작했던 건데, 도를 두 개를 넘어 고향인 전라도로 들어올 때였다.

눈앞에 선명했던 네온사인과 밤을 밝혀준 건물의 빛은 온데간데 없어졌고, 시골의 적적한 가로등만이 나를 반겼다. 며칠을 더 돌아다녔으나 '시'라고 불리는 데 중 정말 도시 같은 데는 찾아보기 힘들었다. 내가 2020년대에 사는 중인 건지 의심까지 들 정도였으나 문득, 이런 데로 도망치면 사람 찾는 게 쉽지 않을 거라는 생각이 들었다. 끊임없이 논밭만 펼쳐져 있을뿐더러 이동 또한 쉽지 않아 성과 이름을 바꾼 뒤 모든 걸 버리고 도망치면 찾지 못할 게 분명하며 생각했던 건데, 생각이 확신으로 변할 때쯤 한동안 잊고 지낸 네가 떠올랐다.

인생에 만약이란 건 없으나 그래도 만약에 네가 네 현실을 버린 채 나와 함께 도망치자 했으면 나는 망설이지 않고 너와 도망쳤을 거였다. 그 세상에서 나는 김민재 대신에 '박민준', 너는 김설화 대신에 '민효정'으로 살았을 거고, 우리는 네가 원했던 꽃집을 가꾸며 우리의 화원을 계속 피워 나갔을 거다. 그 화원에서는 '아픔'이란 두 글자는 찾아볼 수 없었을 거고, 결실을 본 뒤 다가온 황혼에도 미소를 잃지 않았을 거다. 행복만 가득할 게 분명했던 건데, 한참 안갯속에서 이처럼 너와의 만약을 그리다 보니 현실은 나에게 돌아오라며 안개를 걷고서 세상에 물을 뿌리기 시작했다.

정신이 들었던 나는 서둘러 인근 버스 정류장에 비를 피했는데, 갑자기 몰아치는 양을 미루어보아 소나기인 걸 직감적으로 알며 잠시 정류장에 머물 걸 결정했다. 가만히 앉아 비 내리는 거만 바라봤는데, 예상과 달리 비는 금방 멈추지 않았다. 정확히 비가 그쳤던 세상과 달리 내 눈에선 그때부터 비가 이어 내리기 시작했던 거로, 아직 너를 잊지 못한 걸 깨달으며 눈물을 도저히 주체할 수 없던 거였다.

순례의 끝자락에 거의 도달했고 스님의 말씀처럼 생각이 난대로 너를 내버려 뒀건만 소나기와 다르게 눈물은 금세 가지 않았는데, 그때 나는 너를 말끔히 지우지 못한 채 평생 아로새길 거만 같았고 과거로 잠식되어 현재에 온전히 집중하지 못할 거만 같았다. 순례 또한 단순하게 여행으로 끝날 거만 같으며 순례 후에도 계속 현재에서 과거의 답을 찾아야 할 거 같았는데, 이대로라면 누군가와의 미래를 못 그릴 게 분명했다.

너 외의 다른 누군가를 '너'로 못 부를 게 또한 분명했던 건데, 평생토록 이어질지도 모르는 내 옆에 누군가의 부재가 두려웠으나 내가 곧 불행해지더라도 유명진, 즉 그녀는 행복하기를 바라 그만 이기적인 관계를 정리할 걸 생각했다. 항상 나로서 행복하다 한들 불행할 게 또한 분명했으므로, 정말로 그녀를 사랑하므로 질질 끈

관계를 그만 정리하려 했었다.

"이제 집까지 정말로 얼마 안 남았네?"

"응, 아마 이삼일 안에 도착할 거 같은데?"

"그래? … 그렇다면, 답은 찾았어?"

"… 아니. 대신 마음은 한결 가벼워진 거 같아."

"… 그래. 어떻게 됐든 집까지 조심해. 마지막까지…"

"명진아."

"어?"

"… 아니야, 사랑한다고. 아무튼, 이제 출발하니까 이만 통화는 끊을게. 좋은 하루 보내."

하지만 정류장에서 오지 않던 버스를 기다렸던 밤이 끝나고 다시 버스가 다니기 시작했던 아침이 찾아오며 곧 유명진에게 전화를 걸었지만, 밤의 다짐이 무색하게 아침에 그녀의 목소리를 듣자마자 평소처럼 안부를 물은 뒤에 사랑의 인사로 통화를 마쳤다. 다짐과 다르게 입 밖으로 이별을 꺼낼 엄두가 도저히 나지 않았던 건데, 제아무리 생각해봐도 그녀가 나에게 과분할 정도로 사랑했던 거와 비교할 때 내가 했던 건 한없이 부족했던 거였다.

책임지지 못할 사랑을 하며 이대로 헤어질 때 대가로 너뿐만이 아니라 어쩌면 그녀도 생을 마감하기 전까지 잊지 못할 거만 같아 두려움에 끝내 말을 꺼내지 못했던 건데, 사흘 후 고향에 돌아올 때 역시 마찬가지였다. 시작할 때는 다소 가볍고 쉽게 생각했지만, 끝날 때가 되며 몹시 무거워진 거였다. 발걸음 또한 연애에 맞춰 좀처럼 떨어지지 않았는데, 비가 내린 뒤 노란 하늘이 서서히 어두워지며 일몰이 다가올 때였다.

　드디어 고향인 광주에 도착했지만, 집으로 돌아가고 싶지 않았다. 머지않아 그녀에게 이별을 얘기할 생각도 한몫했으나 그보다 더 근본적인 문제, 즉 네가 나에게 던졌던 숙제가 다시 떠오르며 계속 발목을 붙잡은 거였다. 정말 얄궂은 게 그녀와 이별을 생각할 때는 숨어있던 게 곧 순례가 끝날 무렵이 되자 다시 나타났고, 점점 내 머릿속에서 커지더니 끝내 생각을 잠식한 채 내가 조금 더 순례길을 갈까 고민하게 하였다. 때마침 개강도 사흘이 더 남았던 만큼 무리하지 않은 선에서는 순례를 조금 더 다녀올 수 있었지만, 배가 꼬르륵 소리를 내며 숙제를 밀어낸 채 나를 집으로 향하게 하였다.

　숙제는 알량한 자존심에 최대한 집에 늦게 도착하게끔 버스를 한 번 거치도록 만들었다. 광천교 대신 무진대로로 돌아가는 버스를 타게 했던 거로, 버스를 탄 지 십여 분이 채 안 지났을 때쯤 광주천이 보였다. 하천은 예나 지금이나 똑같이 터미널 너머 영산강 쪽으로 흐르고 있었는데, 그 모습이 마치 시간과 같이 느껴졌다. 항상 똑같은 방향으로 흐르는 게 시간처럼 항상 과거에서 미래로 흐른 거만 같이 보였던 거로, 하천을 볼수록 내 모습과 대비된다 생각에 어느 순간부터 나는 눈물을 글썽이기 시작했다.

　세상의 이치대로 흐르는 하천과 달리 나는 과거를 시간에 따라 흘려보내면 그만이나 그렇지 못하여 힘들어하는 게 가여웠다. 머리로는 이해했으나 가슴이 받아들이지 못해 힘들어하는 내가 점점 가엽다 못해 애처로웠고 그 끝에서는 눈물까지 글썽이기 시작했는데, 세상도 역시 이런 내가 애처롭게 느껴졌던 건지 창밖으로 과거를 비춰주기 시작했다.

창문에 가로등이 하나둘씩 비칠 때마다 지난 여름밤에 눈이 내린 기억, 코스모스가 핀 한강에서 애정이 깊어지던 기억 등 세상은 잠시이나 시간을 되감아 줬던 거였다. 하지만 너와의 기억이 맨 처음으로 돌아갔던 순간, 버스가 구 전남도청에 도착하며 너와의 모든 기억은 밤하늘의 연등처럼 솟구치게 됐다.

시간이 다시 현재로 돌아올수록 나는 현재의 네가 궁금해졌다. 너도 나처럼 기억이 남아 아파하는 중인지, 아니면 이미 나를 잊은 채 너의 세계를 이겨낼 수 있는 누군가와 새롭게 화원을 꾸려나간 중인지 무척 궁금해졌다. 그러나 시간이 현재로 완전히 돌아왔던 순간, 결국 너와의 기억은 필연으로써는 더 기대할 수 없기에 나는 그저 기도했을 뿐이었다. 다른 누군가와 행복하다 한들 가끔, 잠깐 일지언정 내가 너의 곁에 잠시 있었단 사실만큼은 부정하지 말길, 나보다 더 좋은 사람을 만나 행복하지만 나를 잊을 만큼만은 아니기를 기도했다.

순간이나 영원하길 바랐던 기도가 끝날 무렵, 나는 드디어 조선대학교에 도착했다. 환승 지점이었던 만큼 정말 버스를 한 대만 타면 4주간에 순례가 마침표를 찍게 됐던 건데, 역시 생각했던 대로 숙제의 답을 못 찾았던 만큼 생각이 정화되긴커녕 오히려 혼탁해진 기분이었다. 집에 들어갈 때만큼은 바깥일을 훌훌 털고 들어가야 하나 그렇지 못할 거만 같았고, 몇 날 며칠을 계속 답답해할 거만 같았다. 무엇보다 몇 날 며칠이 지난다 한들 가슴에 무언가가 안 사라질 것 같았지만, 순례길에서의 눈물에 총량은 다 됐었던 건지 그날만큼은 더 눈물을 흘리지 않을 것 같았다.

　그러나 한숨의 총량은 아직 남았던 건지 나도 모르게 사람들의 시선에 아랑곳하지 않고 한숨을 크게 내쉬었는데, 나의 기분을 알 턱이 없던 버스는 눈치 없이 머지않아 도착했다. 더 지체하지 말고 타라 나를 재촉했는데, 지쳤을뿐더러 생각을 더 하고 싶지 않았던 나는 버스가 말했던 대로 고분고분 탑승한 뒤에 맨 뒷자리 오른편 창가에 앉았다.

　자리는 넉넉했으나 순례에 마침표 찍는 거를 몇 초일지언정 어떻게든 늦추고자 했던 거로, 마지막으로 안간힘을 썼던 거였다. 하지만 이미 할 수 있는 만큼 다 한 상태였으므로 나는 자리에 앉은 뒤 멍하니 창밖만을 응시했는데, 바로 다음 정류장에서 정신이 들게 됐다. 아니, 들 수밖에 없었는데, 한 연인이 꽤 자리가 넉넉했으나 굳이 내 앞에 앉더니 머리를 맞댄 채 깨를 쏟기 시작하며 나까지 튀게 한 거였다.

　처음에 나는 연애의 설렘이 충분히 이해됐으므로 애써 참은 채 창밖만을 응시했지만, 점점 깨를 내게 쏟는 빈도가 늘어나며 나의 묵상을 방해했다. 꽤 샘이 났던 나는 심술을 부리고 싶었지만, 어느 순간 둘의 모습을 바라보며 심술은 궁금함으로 바뀌었다. 무엇이 좋은 건지 서로 시도 때도 웃으니까 자연스레 둘의 대화까지 궁금해지며 나도 말은 하지 않았으나 곧 대화에 참여하게 됐다.

　"오늘 '나 혼자 산다' 하는 날이지? 저번 주에 했던 거 봤어? '곽도원' 진짜 웃기던데?"

　"봤지! 근데, 나는 그것보다도 '박나래' 남매가 요리하는 게 더 웃기던데? 이번 주에는 '이장우' 나온 데!"

"오! 꼭 봐야겠다! 맞다, 아까 물어본다 했는데 까먹었다. 너는 가위눌려 본 적 있어? 오늘 야자 전에 잠깐 자고 있었는데, 꿈에서 검정 물체가 확 나타나 소리 질렀다니까? 애들이 다 나 쳐다보고 교무실에 계신 선생님들도 다 달려오고 하…."

"가위는 아닌데, 나도 비슷한 경험한 적 있어. 한 번 야자 전에 축구 한 적이 있었거든? 근데, 몸을 제대로 안 풀고 했던 게 문제였는지 야자 중에 갑자기 쥐가 나더라? 그때 애써 꾹 참고 소리 없이 바닥에서 발버둥 쳤는데, 하필 담임이 지나갈 때라서 아오… 결국 교무실로 끌려갔어."

하지만 대화에 참여할수록 실소하게 되며 나는 자연스럽게 둘의 대화에서 나왔다. 맥락을 잡을 수 없었을뿐더러 무엇이 좋은 건지 파악이 안 됐던 게 이유로, TV 프로그램을 주제로 했던 대화가 어느새 가위, 시험 등 두서없이 진행됐던 거였다. 아무리 생각해도 좋은 걸 떠나서 웃을 이유조차 없다 생각하며 나는 무음으로 바꾼 대신 계속 상영 중인 무성 영화를 쳐다봤지만, 장면은 재생되는 동안 그대로였다. 시간이 반복되는 건가 착각까지 들며 시계를 쳐다봐도 시간은 잘만 흐르고 있었는데, 이유를 몰랐던 나는 궁금함이 갈수록 커졌다.

고등학생인 만큼 할 이야기 등 제한됐던 게 많았을 텐데 무엇이 그렇게도 좋은 건지, 무엇이 좋아 서로 초롱초롱한 눈망울로 쳐다보며 입꼬리가 떨어지지 않은 건지 둘이 버스에 내릴 때 또한 궁금했다. 둘이 창밖의 풍경 일부로 남아 사라질 때, 나 또한 그 일부로 사라질 때까지도 궁금했다. 분명히 찰나이나 지칠 법한데 어떻게 전혀 내색조차 하지 않던 건지, 되레 대화할수록 생생하게 변했던 건지는 버스에 내린 뒤에도 해결되지 않았다. 꽤 오랜 시간 동안 집 주변을 어슬렁거리며 걸어도, 담배를 연거푸 피워도 답은 안 나왔는데, 발걸음이 우연히 너와 함께 다녔던 학교에 다다를 때였다.

시간은 밤 열 시였던 만큼 교문이 닫혀 있어야 했다. 무엇보다 코로나19 예방으로 학교가 봉쇄됐던 만큼 꼭 닫혀 있어야 했지만, 교문은 열려있었고 학교에는 수위조차 보이지 않았다. 옛 생각, 그 안에 너와의 기억으로 나는 무심결에 학교로 들어간 뒤 운동장을 걷기 시작했는데, 걸음을 옮길 때마다 너의 생각이 자연스레 나며 나도 모르게 웃음을 머금게 됐다. 마냥 너를 눈물로써 그렸던 내가 처음 웃음으로 너를 그리게 됐던 건데 그 순간, 앞서 봤던 연인의 모습이 너와의 기억에 포개지며 마침내 네가 던진 숙제의 정답을 찾게 됐다.

역설적이나 정답이 없던 거였다. 그녀가 나도 모르는 사이에 내 마음에 물들었던 거처럼 이유가 없었던 건데 그저 좋았으므로, 함께 있는 사실 '자체'만으로도 좋았으므로 그녀를 좋아했던 거였다. 다시 말해, 나는 내가 생각했던 그녀부터 그녀 스스로 생각했었던 본인까지 **그녀 그 자체를 사랑했던 거였다.**

순례의 끝자락에 도달했던 순간, 현재에 나는 정답을 찾게 되며 순례가 진정으로 의미를 맺었다. 꽤 오랜 시간이 걸렸으나 슬픔의 눈물로 보낸 날들이 헛되지 않게 됐던 건데, 기쁜 마음에 마음속 그녀에게 진정으로 감사의 인사를 건네려고 했으나 그녀는 마음을 순백으로 물들인 채 밤하늘에 연등처럼 사라진 지 오래였다.

그 자리에는 '**미련**'이라는 그녀가 아니라 '**추억**'이라는 그녀가 새롭게 자리 잡게 됐는데, 새롭게 자리 잡은 그녀는 앞으로 자신을 부를 때 '사랑'이라는 약칭 대신 자신을 정확하게 불러줄 걸 부탁했다. 자신을 부를 때 미련처럼 눈물 대신에 추억처럼 웃음이 나오지만, 자신은 현재가 아니라 과거에 존재하므로 '**과거의 사랑**'으로 불러줄 걸 부탁했다. 혹은 자신은 계속 남을 후회(後悔)가 아니라 잠깐 머물 아쉬움 정도이자 후회(後會)를 바란 대상이므로 과거의 사랑의 이명, 바로 '**그리움**'이라는 세 글자로 불러줄 걸 부탁했다.

나는 그리움의 그녀에게 부탁받은 뒤, 그녀를 포함하여 신에게 감사의 기도를 드렸다. 우연과 필연으로 점철된 운명의 순례길 끝에서 덕분에 단순히 커진 '성장'이 아니라 '성숙'하여 세상이라는 화원 속에 하나의 꽃으로써 진정 색채를 발현할 수 있게 됐으므로 감사의 기도를 드렸다. 그러고선 간청의 기도를 드렸다. 운명의 실타래에서 어떻게 실이 감길지는 모르겠지만, 실이 끊긴 그날까지 힘들고 무너지는 게 반복된다 한들 내가 그때마다 더 성숙해지며 이전보다 더 찬란히 색채를 빛낼 수 있도록 간청의 기도를 드렸다.

기도의 끝에서 순간, 한 사람이 섬광처럼 떠올랐다. 같이 있을 때마다 나의 색채가 온전히 빛날 수 있는 사람, 어느 날이든 생각날 때마다 웃음을 짓게 한 사람, 현재에 나를 진정으로 사랑하는 사람, 유명진이 떠올랐다. 이제는 정말로 '**너**'가 된 사람이 유성처럼 번뜩 떠올랐던 거였지만, 유성과 달리 너는 잔상으로 그치지 않고 점점 더 선명해져 갔다. 그 끝에서는 역시 웃음기 많은 표정으로 나의 머릿속에 굳어지며 나까지 미소 짓게 했었고, 나는 멀리서나마 그 미소를 보고 싶어 너에게 전화를 걸었다.

"여보세요?"

"어… 이 시간까지 안 자고 무슨 일이야? 곧 자정인데?"

"그냥… 보고 싶어서."

"… 무슨 일 있어? 목소리는 왜 그래?"

전화를 걸었을 때 너는 잠들지 않으며 전화를 받았지만, 나는 날이 바뀌며 그날 눈물에 총량이 초기화된 건지 너의 목소리를 듣자마자 눈물을 흘리게 됐다. 눈물보다 더 맑은 청아한 목소리에 지난 나의 모든 잘못이 비치며 미안함과 한편 이를 감내한 채로 기다려줬던 고마움에 나도 모르게 눈물이 나왔던 건데, 아무 일 없는 척하며 전화했으나 너는 내가 아는 그 이상으로 나를 잘 알았기에 곧 내 상태를 눈치채게 됐다. 그러나 네 앞에서는 더 울고 싶지 않았으므로, 적어도 흘린다면 슬픔의 눈물보다 기쁨의 눈물을 흘리고 싶었으므로 애써 끝까지 아무 일 없는 척하고자 항상 하는 말이고 아침에도 했으나 그 어느 때보다도 내 진심을 담은 세 글자를 간결하게 전했다.

"사랑해."

"어? 무슨 자다 봉창 떨어지는…"

"사랑해, 정말…."

"…"

갑작스러운 나의 고백에 너는 내게 무슨 일이 있는 걸 짐작 넘어 확신했을 게 분명했다. 하지만 그 누구보다도 나에 대하여 관심을 됐으므로, 너는 방관이 아닌 믿음이란 두 글자로써 내게 더 묻지 않았다. 대신 너도 나와 같은 마음을 전한 뒤 앞으로도 오전 아홉 시마다 약속을 지킬 걸 얘기하며 먼저 전화를 끊었다.

전화 후에도 사랑에 대한 여운이 남았던 건지 나는 왼쪽 약지의 마디가 아려왔는데, 머지않아 실에 감긴 듯한 아픔인 걸 알며 외려 아픔에도 나는 웃음이 지어졌고 너에 대한 마음이 더욱 굳어졌다. 무엇보다 그 끝에서 나는 순례 전 네게 말한 대로 현재에 집중한 채 너만을 미래에 그릴 걸 약속했다. 그렇게 그녀와 이별한 지 꼭 이 년에 하루가 더해진 순간, 나는 그동안에 '우리의 화원'을 추억이란 이름 속에 보냈고 새로운 사람과 새로운 우리의 화원을 본격적으로 꾸릴 걸 다짐했다.

제12화 너에게 안개꽃을 건넨 가을

순례가 끝난 다음 날부터 꼬박 사흘 동안 나는 현실에 돌아오지 못했다. 긴장이 풀렸는지 스스로에 힘으로는 좀처럼 꿈에서 빠져나오지 못했던 건데, 정확히 나흘 자정이 된 후에야 스스로 현실에 돌아올 수 있었다.

당시 세상은 나와 반대로 잠들기 시작했던 만큼 고요함만이 맴돌았다. 누군가에게는 그 분위기가 꽤 싸늘하게 느껴질 법도 했지만, 나에게는 묘한 두근거림만을 느껴지게 하였다. 마치 세상이 나의 단독 무대를 위해 침묵하는 거 같으며 가슴이 빨리 뛰기 시작했던 거로, 나는 세상의 기대에 보답하고자 집이라는 장막 뒤에서 머지않아 세상이라는 무대로 나갔다.

오랜만에 나간 세상은 자정을 넘기며 가을로 넘어갔지만, 여름과 하루밖에 차이가 안 났던 만큼 크게 달라진 건 없었다. 똑같이 밤에도 기온이 이십 도 중반을 웃돌았고 습도도 최소 팔십 퍼센트를 웃돌았는데, 모든 게 똑같아 보여도 결코 같을 수는 없었다.

거리를 걸은 지 채 삼십 분조차 안 됐을 때쯤 집에 돌아올 때와 다르게 해바라기가 어둠 속에서 홀로 이별을 준비하고 있던 거로, 처음에 나는 해바라기가 외로이 준비하고 있는 거만 같으며 잠시 발걸음을 멈추게 됐다. 얼마 전의 내 모습과 흡사하며 생긴 동질감에 나도 모르게 발걸음을 멈추게 됐었던 건데, 해바라기를 볼수록 동질감은 그저 내 착각에 불과했던 걸 알 수 있었다.

해바라기가 이 년 전과 다르게 해를 만났던 건지, 아니면 나처럼 새로운 해를 만났던 건지 표정에 슬픔은커녕 오히려 웃음밖에 보이지 않았던 거였다. 그 모습은 마치 영원한 결별이 아니라 잠시 이별을 '확신'하는 거만 같았는데, 한편 다시 돌아올 날까지 웃음을 잃지 말 걸 얘기한 거만 같았다.

나는 해바라기의 얘기대로 헤어진 직후 미소를 띤 채 다시 발걸음을 옮기기 시작했지만, 새로운 해바라기의 잔상은 곧 잠시 이별했으나 다시 만날 사람까지 떠오르게 하며 끝내 나의 가슴을 빠르게 뛰게 하였다. 나에게 기다림의 대상이자 그리움의 계절에 미래로 남게 될 대상, 새로운 해가 된 대상인 유명진이 떠오르게 됐던 건데, 그날 아침에도 전화했으나 당시 두근거린 가슴은 호기심까지 자극하며 너에게 전화하게 하였다.

평소라면 너는 오전 한 시가 조금 넘은 시간이었던 만큼 잠들지 않았을 거고, 청아한 목소리로 내 전화를 반겼을 거다. 그러나 너는 피곤했던 건지 잠이 한참 들었던 상태였고, 이를 증명하듯 잠기다 못해 꽤 가라앉은 목소리로 내 전화를 받았다.

"여보세요?"

"어… 이 시간에 무슨 일이야?"

"미안, 자는 줄은 몰랐네. 이유는 없고 그냥, 보고 싶어서."

"말로만?"

여느 때 같았으면 나는 당시 충분히 늦은 시간이었고 잠든 너를 배려하며 바로 전화를 끊었을 거다. 애써 들뜬 마음을 가라앉힌 뒤 아침에 꺼냈을 거지만, 잠결에 나왔던 너의 속마음을 듣게 되며 전화를 끊지 않았다. 아니, 끊을 수 없었던 거로, 네 말처럼 그동안 "사랑한다.", "보고 싶다." 등 나는 말로만 했을 뿐, 행동으로 보여준 적이 없었던 거였다.

제아무리 진심을 표현해도 행동으로 보여주지 않으면 사탕발림에 불과할 뿐이다. 하지만 나는 그동안 코로나19를 핑계로 너를 반년 넘도록 만나지 않았을뿐더러 그 이전에는 미련으로 나도 모르게 너에게 선을 그었다. 연애를 시작한 지 일 년이 훌쩍 더 넘었건만 기념일마다 말로만 축하했을 뿐, 선물 외 특별한 무언가를 해준 적이 없었다.

정말 네 말 따라 그동안 나는 너에게 말로만 했었던 건데, 미안함에 순간 말을 못이었으나 더 늦을 때는 정말 끝날 거만 같았다. 진심을 보여주려 해도 '못' 보여줄 거만 같았던 거로, 진정 '너'가 된 지 얼마 안 됐던 만큼 나는 이대로 너를 놓치기 싫어 말뿐만이 아니라 행동으로 보여줄 걸 다짐했다.

"우리, 언제 만날까?"

"… 뭐?"

"안 본 지 너무 오래됐잖아. 코로나19로 할 수 있는 건 꽤 제한 되겠지만, 그래도 얼굴 보는 데 의의를 두고 싶어. 물론, 아직 위험 하겠지만 마스크 잘 쓰고 사람 많은 데를 피하면 괜찮지 않을까?"

그동안과 다르게 내가 먼저 만나자 얘기를 꺼냈던 건데, 얘기를 듣자마자 너는 그간의 행적과 다른 나의 태도에 적잖이 당황하며 한동안 말을 못이었다. 너는 그저 침묵으로만 대응했을 뿐이었는데, 담배를 세 대 태울 때쯤에서야 네가 입을 열며 약속 장소와 시간을 정할 수 있었다.

"… 알았어. 대신, 나 이번 달 마지막 주 토요일에 시험이니까 시험 끝나고 만나자."

"그럼, 그날 시험 끝나고 바로 만날래? 시험장 앞으로 갈게."

"음… 그건 좀 그렇고, 저녁 여섯 시쯤에 건대입구역에서 만나자. 괜찮지?"

"알았어, 그럼…"

"그래, 나 수면 패턴 조절해야 하니까 이만 잘게. 좋은 꿈 꾸고, 내일 통화하자."

너는 주저했던 거와 달리 통화가 결론에 다다르자 통화를 먼저 끊었다. 매우 피곤했던 건지 한 치의 망설임조차도 없었는데, 나는 무대가 절정에 다다르며 이대로 허무하게 끝났던 게 꽤 아쉬웠다. 오랜만에 너를 만난다는 생각에 가슴의 두근거림이 쿵쾅거림으로 바뀐 것도 한몫했겠지만, 그때부터 나는 나의 세상에 온전히 너를 그리게 됐다. 다시 말해, 내 도화지에 온통 너만 그려졌던 거였으나 너를 계속 완성해 나가며 행복을 느낄 찰나 네가 붓을 뺏었고 행복까지 데려간 거였다.

마음은 툴툴대며 다시 통화할 거를 얘기했지만, 머리는 오늘만 날이 아니었고 네가 그동안 내게 맞춰 준 거처럼 나도 너에게 맞출 필요가 있다고 마음을 설득했다. 네가 하나를 맞춰 줄 때 앞으로의 나는 열을 맞춰 줄 필요가 있었으므로, 그날의 나는 마음을 애써 진정시킨 채 집이라는 장막 안으로 다시 들어갔다.

시공간이 구체화되며 도화지의 윤곽이 드러나는 게 문제였을까? 나는 그림을 빠르게 완성 짓고 싶다 생각에 이후 조급하게 변했고, 너와의 그림을 여러 번 지우고 그리다 보니 간간이 홀로 긴 밤을 지새웠다. 어떻게든 시간의 손을 낚아채서 빨리 흐르게 하려고도 했지만, 시간은 원래의 속력대로 흘렀을 뿐이었고 나는 그 속력에 따라갈 수밖에 없었다. 내가 할 수 있었던 건 애꿎은 달력에 X자로 칠할 때 세게 누르며 화풀이했던 건데, 그렇게 구월 달력에 마지막 금요일까지 X자로 칠하다 보니 약속이 코앞으로 다가왔다.

광주에서 서울까지 약 세 시간 반, 터미널에서 약속 장소까지 약 삼십 분이 걸린 만큼 나는 오후 한 시쯤 버스를 타려 했다. 집에서 점심까지 해결하고 한 시간 여유롭게 서울로 출발하려 했었지만, 너를 오랜만에 마주하게 될 거라며 생긴 설렘으로 꼬박 날을 지새우며 계획보다 훨씬 빠른 오전 아홉 시에 출발하게 됐다.

계획은 어디까지나 생각에 불과하지만 이날 계획은 상당히 헝클어지며 너를 만나기 전까지 나는 생각하지 않는 거보다도 못하게 됐다. 출발부터 꼬이며 풀리지 않던 게 시간에 풀리며 버스에서는 선잠조차 못 잤고, 애써 오는 잠을 이겨내고자 니코틴과 카페인에 의존하며 가슴은 끝내 주체하지 못하게 됐다.

너와의 만남이 다가올수록 나는 상태가 안 좋아지게 됐지만, 내 마음속 해바라기는 고개를 들게 되는 것만 같았다. 최악에 치닫고 있던 상태와 다르게 밤의 심연보다 짙은 검은색 긴 머리는 어떻게 변했을지, 함박눈보다 밝은 미소는 여전히 아름다울지 등 만남이 다가올수록 너의 모습이 점점 더 선명하게 그려지며 괜스레 웃음이 나왔던 거였다. 당연히 기분이 좋아 웃음이 나온 거로만 생각하며 상태 또한 너를 만날 때 호전될 거만 같았다. 자동차처럼 너라는 휘발유가 충전될 때 다시 쌩쌩해질 거 같았지만, 오후 두 시 정각에 다다르자 이는 내 착각이라는 걸 알게 됐다.

시계의 시침이 숫자 이에 도착함과 동시에 나 또한 네가 시험 중인 장소에 도착했는데, 너를 만날 생각에 설렌 한편 '내 진심 어린 마음이 너에게 닿을 수 있을까?'라는 걱정이 들기 시작했다. '그동안과 똑같이 여기지 않을까?'라는 생각에 걱정은 불안감이 되어 긴장을 불러일으켰고, 급기야 웃음과 함께 좋은 기분까지 사라지게 하였다.

불안감은 멈추지 않으며 현실까지 자각하게 하더니 내 상태를 느끼게 하였다. 시계가 한 바퀴를 더 돌면 너를 만나나 이조차도 못 버틸 정도로 안 좋은 상태인 걸 느끼게 한 거였는데, 너에게 좋지 않은 모습을 보일지언정 최악까지는 바라지 않았다. 눈앞에서 쓰러지더라도 만나자마자 쓰러지고 싶진 않았던 거로, 나는 네가 나올 때까지 시간이 얼마 남지 않았으나 정신을 차리기 위해 거리를 걷기 시작했다. 가을 하늘에 포근한 햇살이 외려 뜨거울 정도로 느껴지면 상태가 호전되지 않을까 하는 기대에서 걷기 시작했던 건데, 당시 거리에 문을 열었던 가게는 거의 보이지 않았다.

편의점을 제외하면 사실상 모든 가게가 닫았던 거로, 번화가가 아닐뿐더러 주말 오후였던 만큼 모두 쉬고자 닫은 듯했다. 문득 무언가라도 너에게 선물하고 싶은 생각이 들며 이 사실은 꽤 아쉽게 다가왔지만, 아쉬움은 느낄 새도 없이 곧장 사라졌다. 모든 가게가 닫은 줄만 알았으나 불과 100m 남짓 거리에 한 가게의 네온사인이 반짝이는 게 보였던 건데, 금상첨화로 그 가게는 꽃집이라 딱 내 상황에 안성맞춤이었다. 이유로 나는 주저하지 않고 곧장 꽃집에 들어갔지만, 점원의 얼굴을 보자마자 순간 얼어붙었다.

"안녕…"

"어서 오세요! 찾으시는 꽃이라도 있으실까요?"

"… 여자친구한테 선물하려고 하는데 추천해주실 수 있을까요?"

둥그스름하고 속눈썹이 많은 눈이며 들어올 때 살짝 갈라진 거 같지만 맑게 울려 퍼지는 목소리, 가만히 서 있을 때마다 아래로 뻗은 왼팔에 오른손을 올린 습관까지 옛적의 그녀와 같던 거였다. 하지만 나를 보고도 머뭇거리며 오른쪽 아래로 눈을 피하지 않은 모습에 그녀가 아닌 걸 알게 됐고, 나는 원래 목적대로 꽃을 사기 위해 점원에게 추천을 부탁했다.

"보통은 장미를 많이들 사 가시죠? 아니면 조금 더 특별한 걸 원하시면 백합도 많이 사 가세요. '변함없는 사랑'이란 의미가 있어 연인이나 부부이신 분들께서 많이 찾으세요."

"음… 싸운 건 아닌데, 여자친구한테 그동안 제가 꽤 미안했어요. 그래서 추천은 정말 감사드리지만, 적어도 오늘만큼은 매우 특별한 걸 선물하고 싶어서 그런데 다른 건 없을까요?"

"아니면 붉은 장미 한 송이에 파란 안개꽃은 어때요? 둘이 매우 잘 어울릴뿐더러 '당신을 사랑합니다.'와 '영원한 사랑'이란 의미가 함께 어우러져 개인적으로 연인들에게 많이 추천하는데? 무엇보다 둘이 합칠 때 '한평생을 사랑하겠다.'라는 의미가 되어 정말 특별한 순간에는 꼭 추천해요."

"오! 좋은데요? 그렇게… 주세요."

처음에는 추천받은 게 썩 내키지 않았다. 너에게 미안함과 사랑함을 표현하는데 가당치 않았을뿐더러 이전에도 똑같이 몇 번 선물한 적이 있었던 추천이었다. 무엇보다 흔하다 못해 너무 뻔하며 썩 내키지 않았던 건데, 어디에서 나타났던 건지 모르지만 사장님이자 남편 같은 분께서 불쑥 나타나더니 본인의 추천을 얘기했다.

사장님의 추천은 단번에 마음에 들며 나는 곧바로 포장을 부탁했는데, 나는 이번 또한 사장님의 얼굴을 보자마자 얼어붙었다. 얼굴형이며 키, 체형까지 나와 똑같은 게 흡사 자화상을 본 듯한 기분이 들었던 거로, 포장을 기다리는 동안 좀처럼 눈을 떼지 못했다. 정확히는 사모님까지 포함하여 둘에게서 눈을 떼지 못했던 거로, 둘이 함께 꽃을 가져오는 모습이며 포장하는 모습 등 평행 세계의 나와 김설화를 본 듯한 장면을 연출했던 거였다. 계속 '만약'이란 두 글자가 생각나는 영화를 상영했던 건데, 나는 장면이 상영될 때마다 눈물 대신 미소를 머금었다.

그녀가 정말 미련 대신 추억으로 남으며 행복하기만을 바라게 됐던 거로, 다시 이 사실을 알게 됐던 나는 계산을 마치며 나올 때 미소로써 감사의 인사를 드렸다. 그리고 만약 대신 현실에 충실할 걸 다시금 생각하게 되며, 발걸음을 현실의 너에게로 옮겼다.

발걸음은 정확하게 시침이 숫자 삼을 가리켰던 순간에 너와 나의 경계에 도착했다. 이때부터 나는 우리를 가로막던 쇠창살의 경계가 열리기 시작하며 너와의 만남이 얼마 남지 않은 걸 느끼게 됐다. 사람들의 웅성대는 소리보다 나의 심장 박동 소리가 더 크게 들리기 시작했던 거로, 심장이 초침의 박자에 맞춰 뛰며 나는 자연히 초를 알게 됐다. 그렇게 삼백 번까지 세며 너를 기다렸던 순간, 언덕의 끝자락에서 단번에 사람 한 명을 알아보았다.

제법 많은 사람이 언덕에서 내려오며 못 알아볼 수도 있었다. 생각과 다르게 오래 기다리며 자칫 놓칠 수도 있었고, 검은 모자에 검은 후드 티, 마스크까지 끼며 전혀 못 알아본 채로 지나칠 수도 있었다. 그러나 165cm에 키와 꽤 빠른 걸음, 가방을 한쪽 어깨에만 메고 다닌 습관으로 단번에 알아봤다. 겉모습은 매번 바뀔지언정 속은 영락없는 너였다.

반가움에 나는 곧장 네 앞으로 다가갔다. 네가 나를 알아보기를 기대하며 가만히 서 있었지만, 처음에 너는 나를 쳐다보곤 내 앞을 그냥 지나쳤다. 내가 올 거라는 걸 전혀 예상치 못했던 건지 너는 계속 갈 길만을 갔던 건데, 네 이름을 부르며 너를 붙잡으려 했던 순간이었다. 발걸음을 정확히 열 걸음 옮겼던 너는 내 잔상이라도 지나갔던 건지 이름을 부르기도 전에 발걸음을 멈췄다. 내 쪽으로 몸을 돌리며 나를 쳐다봤는데, 평생 못 볼 줄로 알았던 사람이라도 본 거처럼 이내 동그랗게 눈을 떴다.

마스크를 끼고 있어도 표정이 보일 정도로 네 눈 안에는 놀라움으로 가득하여 나를 미소 짓게 하였는데, 계속 우두커니 서 있었던 너는 번뜩 정신이라도 든 건지 내 쪽으로 다가오기 시작했다. 내 앞에 멈추며 내가 정말로 맞는지 확인했고, 확인이 확신으로 변한 순간 마침내 네 입 모양에서 변화를 시작했다.

"… 오빠?"

"보고 싶었어."

나는 "안녕?", "오랜만이다?", "잘 지냈어?" 등 인사를 건너뛰고 '보고 싶었어.' 다섯 글자를 곧장 얘기했다. 다짜고짜 얘기하며 너에게 문맥이 제법 닿지 않을 법도 했지만, 나의 진심 어린 마음을 전달하는데 이외 말은 미사여구에 불과할 것만 같아 진심부터 바로 얘기했던 거였다.

"저녁에 온다 해서 대충 입고 화장도 안 했는데… 심지어 머리 조차 안 감았는데…."

"예뻐."

"어…?"

"예쁘다고. 화장하든 안 하든, 망사 블라우스를 입든 후드 티를 입든 다 예쁘다고. 진심이야."

너는 나를 정말로 확신하며 뒤늦게 자신에 모습이 생각났던 건지 낯부끄러워하며 내게서 시선을 돌렸다. 땅만 쳐다본 채 내게 괜한 이유를 설명했지만, 나는 네가 어떤 모습이든 간에 예뻤다. 화장을 안 하며 햇빛에 비친 너의 솜털조차, 많이 신으며 닳아버린 너의 운동화조차 내게는 정말 예뻤다. 그 모습조차 너였으므로, 모습은 매번 바뀌나 마음은 항상 똑같았으므로 나는 네가 무슨 모습이든 적어도 내 눈에서만큼은 아름다울 수밖에 없었다.

너는 내 말을 듣고서는 내게 못 믿겠다 얘기하며 내 가슴팍을 툭 내려쳤지만, 이는 그저 어리광에 불과했다. 얘기 직후 너는 기분이 좋았던 건지 내 품에 안기면서 나오지 않았던 건데, 나는 너에게 사랑을 속삭이는 대신 너를 끌어안아 정녕 진심인 걸 계속 말없이 속삭였다.

우리는 한동안 흘러가는 세상에 한 장의 사진으로 남았다. 포근한 햇살이 뜨거울 정도로 느껴질 때가 된 후에야 다시 흘러갈 수 있었는데, 우리는 본격적으로 그림을 그려가기 전에 잠시 숙소에 들릴 걸 결정했다. 목적지로 가는 길에 숙소가 있었을뿐더러 너는 당일 시험 준비로 씻지 못했고, 나는 꼬박 날을 지새웠으므로 잠시 숙소에 들릴 걸 결정했던 거였다. 그렇게 숙소에 도착한 뒤 네가 씻는 동안 나는 잠깐 눈을 붙였는데, 일어나자마자 나는 내 눈을 의심했다.

가을이기는 하나 여름과 가까운 날이었으므로 잠깐 눈을 붙였다 한들 어두컴컴할 정도는 아니었다. 그러나 일어났을 때는 다채로운 세상이 검은색 도화지로 변한 상태였고, 씻으러 들어갔던 너는 내 옆에서 곤히 자는 중이었다.

"음… 일어났어?"

"어. … 지금 몇 시야?"

"몰라, 아까 잠들기 전에 오후 열 시인 거만 확인했는데?"

"아… 미안. 잠깐 눈 붙이는 게 지금까지 잤네….”

적잖이 당황하며 나는 어떻게 할지 몰랐지만, 너는 내 뒤척이는 소리에 잠에서 깼던 건지 먼저 고요함 속에서 파장을 일으켰다. 내 쪽으로 몸을 돌리고서는 나를 쳐다봤는데, 나는 너의 눈을 도저히 마주칠 수 없었다.

오랜만에 만남이었던 것은 물론, 간간이 혼자서 긴 밤을 지새울 정도로 너와의 약속을 생각했으나 정작 약속 당일에 나는 그 무엇조차 해주지 못했던 거였다. 이에 미안함으로 나는 너를 못 쳐다본 채 사과를 건넸지만, 너는 그전에 이미 내 진심을 알았는지 나를 보고서는 미소만을 지었다.

"괜찮아, 오늘만 날도 아니잖아? 그것보다 오늘 엄청 피곤했나 보네? 샤워하고 나올 때부터 계속 코 골더라."

"만날 때는 다시 괜찮아진 줄 알았는데, 날을 지새우니까 역시 몸이 못 버텼나 봐. 잠깐 자는 게 그만 지금까지 잤네? 하하, 미안. 정말 숙소에는 잠깐 들리려고 했었을 뿐이었고 지금까지 잘 생각은 전혀 없었어."

"날을 왜 지새워? 무슨 일 있었어?"

"… 너 생각하느라. 너랑 오랜만에 만날뿐더러 그간 제대로 데이트한 적도 없었잖아? 그래서 오늘만큼은 제대로 데이트할 생각을 하다 보니까 날을 지새우게 됐네? 뭐, 너만 괜찮다면 다행이기는 한데, 그래도 내일은 꼭 제대로 데이트하자. 오늘이 최악이었으니까 내일은 최고이지 않을까?"

다행이라는 생각이 들었던 나는 너의 질문에 솔직히 답변했다. 하지만 너는 내 답변을 듣고서는 점점 웃음이 사라지더니 어느새 무표정하게 나를 쳐다봤다. 아무리 생각해도 도무지 이유를 몰랐던 나는 너의 표정에 잠깐의 웃음을 끝으로 표정이 다시 굳어졌다. 네 얼굴만 바라본 채로 너의 대답을 기다리게 됐는데, 마른침을 셀 수 없이 삼켰을 때쯤에야 네가 대답했다.

"다시 잘 웃네. 다시 긍정적으로도 돌아왔고."

"… 어?"

"원래 알고 있던 오빠 모습 그대로 돌아와서 좋다고. 사실, 그동안 정말 많이 걱정했는데, 이제는 그럴 필요가 없다 싶어 다행이야. 아니다. 오히려 솔직해진 거까지 생각하면 더 좋아졌다. 꽤 시간이 걸렸지만, 더 좋아져서 정말 다행이야."

"… 다 네 덕분이지. 네가 아니었으면 나는 또다시 과거로 돌아갔을 거야. 정말… 고마워. 앞으로는 내가 너보다 더 사랑할게."

"… 그것보다도 지금 새벽 세 시인 거 알아?"

"벌써? 자야겠네. 오늘 못했던 거 내일 다 하려면 이제…"

"아니, 이미 오늘 지났다고. … 나는 항상 오늘보다도 내일 더 오빠 좋아할게. **사랑해.**"

나는 긴장이 두근거림으로 변하며 너를 먼저 끌어안았다. 내가 솔직하게 고백했던 거처럼 너 또한 솔직하게 고백하며 내 마음을 일렁이다 못해 넘치게 하였던 거였고, 넘친 내 마음이 너에게로 흐르게 하였던 거였다. 너 역시 넘친 마음이 나에게로 흐르며 우리는 하나로 점철되기 시작했는데, 우리는 누구 하나 먼저 말하지 않았으나 우리의 화원에 꽃을 피우기 시작했다.

오래 기다렸던 만큼 우리의 화원에는 마침내 화려하다 못해 찬란한 꽃이 피어났는데, 그동안에 수많은 위기가 있던 만큼 절정에서 하나로 점철되며 피어났던 꽃은 그 어느 꽃보다도 휘황찬란하게 빛이 났다. 눈부시다 못해 황홀할 정도로 꽃은 빛을 내며 끝내 내가 자연히 미소를 짓게 하였는데, 너도 마찬가지였는지 꽃이 피어났던 직후 미소를 띤 채로 지그시 나를 쳐다봤다.

나는 그런 너의 미소를 보며 순간, 이 사람이라면 앞으로의 운명은 모르겠으나 다시 나의 모든 걸 불태우며 사랑하고 싶다 확신이 들었다. 예전보다 심한 아픔을 겪는다 한들 그보다는 이 사람과 앞으로 만들 추억이 더 그리워질 거 같았던 거로, 나는 어둠 속에서 밝게 빛을 내며 우리의 화원에 꽃을 계속 피워 내려갔다.

정신을 차렸을 때는 동틀 무렵으로, 창밖에 뿌연 밤안개는 점점 희미해져 가는 중이었다. 나는 세상의 태동에 함께 움직이게 되며 자연히 창문으로 다가갔는데, 이번에도 너는 내 인기척에 깼는지 슬그머니 내 옆으로 다가왔다.

"일어났어?"

"응. 밤새 안개가 꼈나 보네? 아직 해가 뜨지도 않았는데 눈에 자욱한 게 보일 정도이면?"

"그래도 점점 희미해지는 게 아침 되면 사라질 거 같은데?"

"그렇다면 다행이네. 맞다. 안개 얘기하니까 궁금한 건데, 어제 장미 한 송이에 파란 안개꽃을 가득 채워서 꽃다발을 선물했잖아?

각각의 꽃말은 찾아보니까 알겠던데, 혹시 둘을 같이 선물할 때 또 다른 의미가 있어? 이건 아무리 찾아봐도 못 찾겠던데?"

우리는 창밖을 바라보며 대화를 시작했는데, 너는 희미해져 가는 안개를 바라보며 궁금한 게 생각나자 곧바로 내게 질문을 건넸다. 나는 질문을 받았던 순간 일어나자마자 스스러운 정답을 얘기하는 데 부끄러움을 느꼈지만, 언젠가 이야기할 걸 미리 연습한다 생각하며 애써 떨리는 마음을 부여잡은 뒤 너에게 정답이 아닌 고백을 얘기했다.

"… '한평생을 사랑하겠다.'"

"… 어?"

"장미와 함께 안개꽃을 꽃다발로 줄 때 의미야. … 일어나자마자 이런 얘기하는 게 정말 오글거리는 거 충분히 이해하는데, 그래도 솔직하게 얘기하고 싶었어. 정말… 그만큼 너를 사랑하고, 사랑할 거니까."

"…"

너는 내 고백을 듣고서 빤히 내 얼굴만을 쳐다봤는데, 그 의중을 몰랐던 나는 민망함에 창밖으로 시선을 돌렸다. 제때 뜨고 있었던 해를 공연히 원망하며 빨리 뜰 것을 재촉했는데, 너는 여명이 밝아오기 시작할 무렵 이내 결심했는지 입 모양에서 변화를 시작했다.

"나도 하나 솔직하게 고백할까?"

"어떤 거…?"

"내 세례명이 왜 카타리나인지 알아? 성녀 로사가 그녀를 동경했거든. 다시 말해, 오빠의 바람이 언니일지언정 내가 카타리나이면 결국 나에게로 귀결되지 않을까 싶어 선택했어."

"…"

"운명은 우연과 필연으로 되어 있지만, 그 또한 계획하지 않을 때는 아무것도 안 되는 거랍니다. 바오로 형제님."

너는 미소를 띠었는데, 처음에 나는 모든 게 정말 너의 계획대로 됐다 생각에 어이없었다. 그렇지만 우연이든 필연이든, 아니면 우연들이 점철되며 만들어진 필연이든 간에 해맑게 웃는 네 모습으로 생각은 사라지며 나는 미소만 띠게 됐다. 그렇게 붉은 노을이 떠오르며 '기쁜 순간', 하늘은 '사랑의 성공'에 분홍색으로 물들더니 그 끝에서 원래의 파란 색채를 빛내며 우리의 '영원한 사랑'을 바랐다.

제13화 나 또한 누군가에게 의미 있는 꽃이 되기를

"일어나."

"…"

"일어나라고!"

고요함을 깨는 목소리, 검은색 도화지 또한 다채롭게, 흐릿한 색깔에서 선명한 색깔로 변한다. 아침이다. 피로로 다시 검게 칠하며 아침을 부정하나 곧장 들려오는 고함으로 눈을 뜨게 됐다.

"오늘 1교시라며? 학교 가야지!"

"아으… 알았어."

"빨리 씻고 준비해!"

'잔소리, 잔소리….'

오늘도 나는 유명진의 목소리로 아침을 맞이했다. 눈물보다 더 맑고 청아한 목소리 덕분에 나는 상쾌한 사월 아침을 싱그럽게 맞이할 법도 했지만, 그 안에는 잔소리로만 되어 있던 만큼 아침부터 피곤함만이 더해졌다.

"야! 김민재!"

"왜? 또?"

"빨래할 때 흰색 옷만 따로 분리하라 했어? 안 했어?"

"처음 빨래할 때가 아니면 상관없다니까? 오히려 검은색 옷만 따로 빨지 않으면 보풀 생겨!"

"이건 뭔데? 변색 됐잖아!"

아침부터 다투고 싶지 않았던 만큼 나는 처음에 화장실로 조용히 들어갔다. 아침은 항상 촌각을 다투는 만큼 불필요한 시간 낭비는 하기 싫었던 건데, 너는 자신에게만큼은 꼭 필요한 일이라며 오전 일곱 시가 되자마자 나에게 어김없이 잔소리를 이어갔다.

"그리고, 설거지 바로 안 하면 변색 된다니까? 이거 봐! 저번에 카레 먹고 바로 설거지 안 해서 변색 된 거."

"그건 먹고 곧바로 물에 안 담겼으니까 그렇지! 내 말 듣긴 해? 관리비 많이 나오니까 설거지통에 모아놓고 설거지하라 했지? 아직 식기도 많은데 왜 식사할 때마다 설거지하는데?"

"하, 참! 누가 보면 관리비로 몇십만 원 나온 줄 알겠다? 그리고 수도세보다 전기세가 훨씬 더 많이 나오거든요? 플러그만 잘 뽑고 나가도 관리비는 훨씬 더 절약되겠다. 이것도 분명 내가 얘기했던 거 같은데?"

"여보세요, 여기 제집이거든요? 불만 있으면 집에 가세요, 네?"

나는 아침부터 계속 이어지는 너의 잔소리에 못 참으며 너에게 본격적으로 반격을 시작했는데, 너는 먼저 잔소리했던 만큼 먼저 그만둘 수도 있었다. 적어도 밥 먹을 때라도 그냥 넘어갈 수도 있었지만, 너는 그냥 넘겨짚지 않으며 우리는 집 밖으로 나가서까지 설전을 이어갔다.

우리의 아침은 대부분 떠들썩했고 사소한 일로 비롯됐다. 올해 초까지만 해도 서로 떨어져 지냈던 만큼 우리는 가끔 만났으므로 싸울 일이 전혀 없었다. 서로가 주말이라는 짧은 시간만 주어졌던 만큼 웃음꽃을 피우기에도 시간이 부족했던 거였지만, 내가 학교에 다시 올라오게 되며 우리의 싸움은 매일 이어지게 됐다.

네가 내 집에서 함께 살게 되면서 우리의 싸움에 서막이 열렸던 거로, 나는 처음에 매일 노원부터 강남까지 출근하는 거보다는 내 집에서 출근하는 게 훨씬 가까우므로 내 집에서 출근할 거를 종종 권유했다. 하지만 하루가 이틀이 되고, 이틀이 며칠이 되면서 너는 자연히 내 집에서 살게 됐다.

나는 누군가와 함께 사는 게 처음은 아니었던 만큼 우리가 함께 사는 게 괜찮을 줄로만 알았다. 서로가 같이 붙어 있을 때 서로의 몰랐던 모습들에 매일 새로움을 느낄 줄로만 알았지만, 붙어 있는 시간이 길어질수록 다르다는 생각뿐이었다.

빨래나 설거지도 마찬가지였지만, 나는 잠이 많은 관계로 자정에 정확히 갔던 반면 너는 잠이 얼마 없어 두세 시쯤에 갔다. 운동도 나는 저녁마다 나갔던 반면 너는 좋아하지 않아 절대로 안 했었다.

우리는 서로의 다름으로 매일 다투는 게 일상이지만, 서로 틀린 건 아니었으므로 존중으로써 서로 이해했다. 존중하는 만큼 좋은 점은 닮으려고도 노력했는데, 예컨대 운동 같은 경우 너는 매일은 아니지만 일주일에 최소 두세 번 정도는 나를 따라오기 시작했다. 반면 수면 같은 경우 나는 최대한 너에게 맞추며 매일 여섯 시 반에는 기상하기 시작했다.

우리는 서로 보기만 해도 저절로 미소가 지어지고 그저 옷깃만 닿아도 가슴이 두근거리는 시기는 지났다. 설렘 대신에 편안함만 남게 됐지만, 되레 이로써 나는 너와 있을 때뿐만 아니라 그 누구에게라도 나의 색채를 온전히 보여줄 수 있게 됐다.

"왜 따라오는 건데요? 학교 가는 길이 이쪽도 아니면서!"

"산책하려고 돌아가는 중인데요? 누가 보면 그쪽을 바래다주는 건 줄 알겠어요?"

"죄송한데, 저 남자친구 있거든요? 학교 늦기 전에 서둘러 돌아가세요."

"하! 저도 여자친구 있거든요? 그쪽보다 훨씬 예쁘고 착하니까 걱정 붙들어 매세요!"

무엇보다 너는 나의 습관이 되며 나는 학교에 강의가 있든 없든 지하철 타는 데까지 너를 바래다주게 됐고, 퇴근 후에 피곤할 너를 위해 나는 입에 대지도 않는 초코케이크 한 조각을 매일 준비하게 됐다. 너는 가까이 있을 때는 괜스레 심술궂게 굴고 싶지만, 멀리 떨어져 있을 때는 보고 싶은 존재가 됐다. 오늘도 괜히 오글거려 말은 곱게 못 했지만, 무슨 일이 있을 때마다 항상 먼저 생각나고 챙겨주고 싶은 존재를 지하철역까지 바래다준 뒤 학교로 향했다.

"야! 김민재!"

"오, 다들 모여 있었네? 나 기다린 거야?"

"아니? 형을 왜 기다려? 우리끼리 담배 피우고 있었는데 형이 온 거잖아?"

"나쁜 놈들… 밥이나 먹자!"

오전 강의가 끝난 뒤, 담배를 피우려고 흡연장에 가자 동기들을 만나게 됐다. 대학 졸업 후의 진로에 대한 고민으로 다 같이 일 년 휴학했던 만큼 입학할 때부터 아는 사람들은 이제 동기들이 끝이었다. 하지만 우리가 하나가 될 수 없는 거처럼 진로 또한 모두 다른 길을 선택하며 우리는 주 전공 강의 때만 잠깐 보게 됐다.

"민재 형, 복수전공으로 미디어커뮤니케이션 할만해?"

"솔직히 잘 모르겠어. 이론만 배우다 보니 과연 실전에서 얼마나 도움이 될까 싶기는 한데… 배우지 않는 거보다 낫지 않겠냐 싶고 무엇보다도 꼭 하고 싶은 일이니까 열심히 하는 중이야."

"나 궁금한 건데, 대체 왜 저널리즘 쪽으로 진로를 선택한 거야? 대학원 제의는 둘째치더라도 인턴 했던 기업에서도 취업 제의 왔다 들었는데?"

"…"

오늘처럼 시간이 될 때만 잠깐, 졸업한 뒤로는 서로 안부만 주고 받게 될 사이지만, 우리는 만날 때마다 변함없는 스무 살이고 스물한 살이었다. 허물없이 지냈던 만큼 서로에게 거리낌이 없던 건데, 우리는 서로에게 궁금한 게 생길 때면 오랜만에 만나더라도 곧장 물었다.

오늘 역시 마찬가지로, 제아무리 계절학기가 존재하나 4학년은 복수전공을 시작하는데 늦은 학년이므로 동기들은 내게 복수전공을 늦게나마 시작했던 이유를 바로 물었다. 나는 처음에 가볍게 아무 이유나 둘러댈까 생각했지만, 솔직히 말할 때만이 진정으로 이해할 수 있었으므로 나는 잠깐의 침묵 후 곧장 대답했다.

"지난 일들을 기억하고 싶어서."

"… 그게 무슨 말이야?"

"인생에서 지난날보다 지나갈 날이 더 많이 남았지만, 지난날이 결코 적은 날은 아니잖아? 그 안에는 분명 중요했던 일들도 있고, 이를 하나하나 기억하고 싶은 마음에 개인적으로 기록하기 시작했는데, 문득 남들도 마찬가지라는 생각이 들며 그중에서 사람들에게 알릴 때 분명히 도움이 될만한 일들이 있을 거라 확신했어. 그래서 그동안 내가 누군가에 의해 영향받은 거처럼 나 또한 누군가에게 영향, 그리고 희망까지 느끼게 하고 싶어서 곧 과거가 될 현재를 기록하는 길을 선택했어."

"의의는 좋은데… 결국 영원한 건 없잖아? 하는 일에 비교할 때 많은 희생이 필요하고? 그럴 바에는 처음처럼 기록은 개인적으로만 기록하고, 현실에선 너의 가치를 인정받는 걸 하는 게 낫지 않아?"

"물론, 그렇게 생각한 적도 없지 않지. **하지만 네 말 따라 영원한 건 없으나 적어도 누군가에게 살아있는 동안 기억이 되지 않을까?** 그리고 내 이야기와 같은 이야기를 겪은 사람들이 있을 때 기억을 기록하는 건 분명히 가치가 있을 테고, 무엇보다도 내가 좋아하는 일에 나는 희생이라 생각하지 않아."

과정에서 몇 차례의 설전이 오고 갔지만, 서로 이해까진 아니더라도 존중했으므로 계속 시비를 따지는 대신 각자 길을 응원했다. 이때, 적어도 나에게 만큼은 나의 색채를 한 번 더 생각할 기회가 되며 친구에게 감사함을 느꼈다.

친구의 '희생'이라는 단어가 옛적에 그녀가 내게 희생이라 얘기했던 거와 똑같으며 생각났던 건데, 남들의 눈에는 다른 사람들을 위해 나의 모든 걸 받치는 거처럼 보일지언정 나 스스로는 한 번도 그렇게 생각한 적이 없었다. 그저 스스로 좋아 몸과 마음을 바쳐 있는 힘을 다했던 거로, 자신을 버리며 하는 희생과는 분명 달랐다.

이유로 그녀는 오래전에 '희생'이 나의 색채라 정의했지만 나는 현재 **'헌신'**이라 정의하며, 나날이 나의 색채를 빛내기 위해 노력 중이다. 당장 동기들과 헤어진 뒤에도 이를 위해 오후 강의가 끝나자마자 동아리에 갔는데, 올해부터 뜻하지 않게 동아리 회장직을 맡게 됐다.

지난 이 년간 감염병으로 학교가 멈추며 남아 있는 고학년 중에 할 수 있는 사람이 나뿐이며 자연히 양도받게 됐던 거로, 처음에는 전혀 할 생각이 없었다. 시간과 비용 대비 할 일이 넘쳐나는 자리였으므로 일절 할 생각이 없었지만, 지나치듯이 베푼 호의와 이어지는 인연으로 나는 운명을 받아들였다.

"민재 오빠!"

"지수! 벌써 왔네?"

"오늘 중간고사 전에 마지막 동아리 회의니까 서둘러 왔죠. 자! 회의 시작하시죠, 김민재 바오로 형제님?"

"그럴까요? 김지수 소피아 자매님?"

재작년 여름에 아이와의 인연이 이어졌던 건데, 약속대로 아이가 정말로 우리 학교에 들어왔던 거였다. 심지어 말하지도 않았으나 했던 말 중에서 '주님' 두 글자를 기억하며 내가 있는 동아리까지 찾아왔고, 들어오고 난 후에야 나에게 연락했다.

우연이 필연으로 점철되며 생겨났던 일들은 여기서 끝나지 않았는데, 나는 작년에 휴학생 신분이었던 만큼 원래대로라면 서울에 올 일은 거의 없었다. 그러나 아이가 동아리에 들어오며 신자의 길을 걷게 됐고, 나에게 대부를 부탁하며 일 년 가까이 나는 일주일마다 서울에 올라오게 됐다. 그 끝자락에서는 자신이 부회장직에 선출되며 공석이던 회장직을 나에게 부탁했다.

나는 이 또한 운명으로 생각하며 회장직을 끝내 받아들였고, 힘들기는 해도 동아리에서 받은 만큼 헌신하는 중이다. 물론 동아리는 개강총회, 동아리 알림 행사 등 여러 활동을 계획하고 진행하며 삼월 한 달을 헌신했지만, 부족한 걸 얘기하며 사월이 닷새째 접어드는 오늘까지 헌신할 걸 얘기했다. 내가 생각보다 받은 게 많은 걸 얘기하며 나보고 더 헌신하라 했던 건데, 머지않아 중간고사이기도 했고 전반기에 코로나19 이전만큼의 성과를 거두자 동아리는 회의를 끝으로 한 달이나 휴식을 허락했다.

"자! 회의는 이 정도로 끝내고, 다음 달에 활동 재개할 때 다시 만나요!"

"다들 고생하셨습니다!"

"지수, 바로 집에 갈 거지? 같이 걸어가자!"

"네! 아, 맞다! 저번에 갔던 마라탕 집 이름이 뭐예요? 거기 맛있던데, 저녁 먹고 갈래요?"

나는 고학년이라 시험은 익숙했던 만큼 부담을 느끼지 않으며, 업무에 잠시나마 해방된 데서 기쁨을 누렸다. 초저녁이었던 만큼 곧장 집에 갈 때 푹 쉴 수 있던 만큼 기쁨은 더할 나위 없었지만, 아이가 집으로 가는 길에 저녁 먹고 갈 것을 제안했다.

"여보세요?"

"자기, 퇴근하는 중이야?"

"아니, 나 오늘 회식 잡혔어. 이따 밤늦게 들어갈 거니까 먼저 자. 밥 먹고 바로 설거지하고, 운동하고 흰색 옷은 따로 분리…"

"아오, 진짜! … 알았어. 바로 설거지하고, 흰색 옷은 따로 분리할게. 대신 너무 늦지 않게 돌아와. 아니면 지하철역에서 내릴 때쯤 나한테 전화해. 데리러 갈게."

평소라면 네가 퇴근하는 시간이었던 만큼 나는 제안을 거절하고 곧바로 집에 갔겠지만, 너는 회식이 잡히며 나는 아이와 저녁을 먹을 걸 결정했다. 그렇게 단둘이 밥을 먹으며 우리는 시답잖은 농담부터 동아리 전반에 관한 얘기까지 여러 주제로 이야기를 나누다 보니 카페까지 가게 됐다.

"오빠! 처음 만났을 때 기억나요?"

"나한테 아저씨라 얘기했던 날? 기억하지! 군인일 때 빼고는 그 누구조차도 나한테 아저씨라 한 적이 없었는데."

"아니! 그런 거만 기억하지 말고… 좀! 아무튼, 그때 첫사랑 얘기하며 말할 수는 없으나 개인적인 사정으로 헤어진 걸 말했잖아요?

최근에 알게 된 사실인데, 그분이 원래 우리 동아리 회원 중 한 명이라면서요? 오지랖인 건 아는데, 우리 동아리 회원이기도 했었고 저도 옛날에 다 얘기했으니까 이제 헤어진 이유를 이야기해줄 수 있어요…?"

"… 흐흐, 세상에 비밀은 없다더니. 왜 헤어졌냐면…"

아이는 분위기가 적당히 무르익을 때쯤 우리가 처음 만났던 이야기를 꺼내며 나의 첫사랑에 대하여 말해달라 얘기했다. 나는 순간적으로 당황했지만, 말하지 못할 이유가 이제는 없었으므로 웃으며 그녀에 대해 처음부터 끝까지 이야기했다.

"… 만약 지금 만났더라면 상황은 달라질 수도 있었겠네요?"

"지수야, 인생에 만약이란 건 없어. 운명은 우연과 필연의 결과일 뿐이고, 오직 신만이 알뿐이야. 우리는 그저 계획하고 끊임없이 부딪히며 나아가야 해. 그렇지 않을 때는 아무것도 안 될 운명으로 끝날 뿐이야."

"마지막으로 궁금한 건데, **그렇다면 오빠한테 첫사랑은 지금 무슨 의미예요?**"

"… '**과거의 사랑이자 현재의 그리움**', '**나와 함께 성장하며 나를 성숙하게 한 사람**', '**지금 추억이라 얘기하며 웃음을 짓게 하는 사람**', 이 세 가지 정도로 정의할 수 있겠다. 헐, 그만 정리하고 가자! 여자친구 곧 지하철역에 도착한 데!"

그녀에 대해 절대로 정리가 안 될 줄로만 알았던 나는 얘기하는 동안 시종일관 명료하게 그녀를 얘기했고, 끝맺음할 때는 미소를 띠게 됐다. 그녀가 말끔히 정리됐다 사실보다 애틋하며 느껴지는 쌀쌀함으로 자연스레 미소가 지어졌던 건데, 머지않아 시간을 확인하며 핸드폰을 보자 미소는 곧바로 사라졌다.

너에게 연락이 왔던 걸 뒤늦게 확인하며 기겁했던 거로, 심지어 확인했을 때는 여러 번 연락이 온 뒤였다. 불행 중에 그나마 다행이었던 건 도착 예정 시간까지는 조금 남았었고, 서둘러 뛰어가면 늦지 않게 도착할 수 있었다. 이에 재빨리 나는 자리를 정리하며 지하철역에 뛰어갔지만, 도착할 때쯤 발걸음이 멈추게 됐다.

벚꽃이 지하철역 따라 이어졌던 가로숫길에 찬란한 자태로 피어오르며 내 손을 붙잡았던 건데, 그 끝에서 벚꽃은 옛적에 너로 변하며 나의 발걸음까지 멈추게 했던 거였다. 하지만 너 역시 내가 미련 대신 추억으로 남았는지 내 손을 붙잡았지만, 현재의 사랑에게 다시 발걸음을 옮기게 하며 우리는 그대로 자리에 머물지 않은 채 지하철역까지 나란히 발맞춰 걸었다.

나를 붙잡았던 너는 처음에 열세 살이었지만, 발걸음이 곧 계절인지 한 걸음씩 옮길수록 점점 성장해 나갔다. 한 걸음을 옮겼을 때 너는 너의 꽃집에서 봤던 열네 살에 네가 되더니 몇 걸음을 옮기자 스물한 살 때 학교에서 재회한 네가 됐던 거였다. 그 끝자락에서는 보지는 않았지만, 너는 원래의 나와 같은 시간에 도달하며 마침내 스물여섯 살에 네가 됐다.

너는 잠시 망설였지만, 마지막에서 미소를 짓더니 일렁이는 바람을 타고 사라졌다. 너와 같은 분홍빛 세상이 다시 올 때 재회할 걸 약속하며 제멋대로 사라졌지만, 나는 기다릴 테니 다음에도 역시 제멋대로 오라 얘기했다. 덕분에 너를 한없이 그리워하며 생애 처음으로 여러 감정을 느껴봤으므로, 이로써 내가 아파하고 눈물지었으나 성장뿐만 아니라 성숙할 수 있었으므로 다음 역시 제멋대로 오라 얘기했다. 오늘처럼 벚꽃이 필 때 이루지 못한 첫사랑을 그리워하며 네가 다시 떠오를 게 분명했지만, 무심하게 흘러가는 시간에 사랑을 다시 일깨워 줄 게 분명했으므로 오 년이든 십 년이든 간에 변함없는 미소로써 나에게 다시 오라 얘기했다.

마지막 벚꽃 잎이 휘날리며 나는 정말 너를 떠나보내게 됐지만, 너의 손길과 색채는 나의 마음에 거듭 아로새겨지며 나의 색채는 다시 빛나게 됐다. 네가 나에게 거듭 영향을 주며 내 꽃이 수많은 꽃 속에서 자신에 빛을 다시 내게 됐던 건데, 머지않아 세상은 내가 그녀에게 영향받은 거처럼 내가 누군가에게 영향을 줄 차례라는 걸 얘기했다.

"야! 김민재!"

과거의 네가 떠나며 현재의 네가 나타났던 건데, 너는 술에 알딸딸한 건지 홍조를 띠며 미소를 짓고 있었으나 괜히 새초롬한 표정을 지었다. 알코올로 아침까지 기억이 점철됐던 건지 아니면 제때 연락을 받지 않으며 심술 났던 건지 모르겠지만, 나는 네가 나의 이름을 부르자 너에게 다가가서 너를 끌어안았다.

"너는 왜…"

"…"

"무슨 일 있어? 왜 끌어안고 말 없는…"

"사랑해."

네가 나의 이름을 부름으로써 내가 누군가에게 의미 있는 존재인 걸 알았고, 영향력을 줄 수 있는 걸 알았다. 수많은 꽃 속에서 너에게 필요로 한 사람이라는 걸 알자 그에 감사함을 느끼며 너를 끌어안았던 건데, 너에게 현재의 사랑을 남길 거만을 얘기하며 나는 신에게 기도를 드렸다.

우연과 필연으로 점철된 운명에 앞으로 무슨 일이 벌어질지 모르겠지만, 지금도 과거로 흐르고 있는 시간이 내게 영향을 주는 거처럼 나 또한 앞으로의 시간에서 누군가에게 영향을 주며 의미 있는 존재로 거듭나기를 기도했다. 그렇게 나는 너에게 나의 색채를 불어넣으며, 너를 비롯하여 수많은 사람의 꽃을 피우기를 기도했다.

'내가 누군가에게 영향받은 거와 같이 나 또한 누군가에게 영향 주기를…'

에필로그

비가 내린다.

아니, 눈이 내린다.

2022년 11월 23일, 계절이 겨울의 문턱을 밟으며 드문드문 하늘에서 눈의 꽃이 내린다. 꽃은 부끄러움으로 보일락 말락 끝내 잔상으로 사라지며 나의 마음을 감질나게 하지만, 그 모습은 순수함도 느끼게 하며 나의 가슴을 괜스레 부풀게도 한다.

눈의 꽃에 더 슬픔 대신 웃음이 묻어나며 그럴까? 아니면 그 안에 순수한 추억이 나를 웃게 하며 그럴까? 전부 맞을 수도 있고 아닐 수도 있지만, 확실한 건 이번 겨울 눈의 꽃은 나를 따사롭게 만든다.

오늘 언론고시에 최종 합격한 나에게 눈의 꽃이 꽃다발을 안긴 거만 같으며 마음이 유난히 더 따사롭다. 새로운 꿈을 이룩한 데 진심 어린 축하를 받은 거만 같아 찬바람마저도 서늘히 느껴지는데, 유명진도 나처럼 걱정했던 만큼 기쁜 소식을 듣자 눈의 꽃에서 따사로움을 느낀 거 같았다.

"어디야?"

"노원역에 방금 도착했어."

"아, 여덟 시까지 건대입구역에서 보기로 했잖아! 평소처럼 우리 집에서 자고 가지 왜 본가에서 잘 거라고 고집 피워…"

"몰라! 기다려, 금방 갈 테니까. … 고생했어."

평소라면 너는 내 집에서 생활했던 만큼 합격 후 내 옆에서 곧장 축하를 건넸겠지만, 혹시 모를 상황에 나보다도 불안해하며 어제는 본가에 돌아갔었다. 당사자보다 더 걱정했던 거였으나 다행히 나는 합격하며 너는 안심하게 됐고, 합격을 축하할 겸 오랜만에 우리는 추억이 새겨진 거리에서 시간을 보내기로 했었다.

건대입구역 2번 출구 방향 게이트에서 너를 기다리는 동안 나는 무심결에 역사(驛舍)를 계속 지켜보게 됐는데, 역사는 처음에 그 모습 그대로였다. 손잡고 나란히 걷는 연인, 따로 걷는 거 같지만 은연중에 서로 챙기는 부부, 고독에 빠져 홀로 걷는 사람까지 변해 가는 세상 속에 고이 남아 있었다.

익숙함에 소중함을 느낄 때쯤, 창밖으로 멍울멍울 눈까지 내리기 시작하며 가슴도 부풀어 오르기 시작했다. 형용할 수 없는 운명의 실타래가 나에게 감기며 우연 또는 필연으로 기분 좋은 무언가를 겪게 할 것 같았지만, 보통 인생에서 불길한 예감만 맞아떨어지는 법이므로 나는 헛웃음만 지은 채 너를 기다렸다.

시간을 재촉한다 한들 빠르게 흐르지 않을 걸 알았음에도 나는 계속 시간에 보챘는데, 시간은 정말 너를 빠르게 데려왔다. 운명의 실타래가 나에게 감기며 예감이 맞아떨어졌던 건데, 둥그스름하고 속눈썹이 많은 눈부터 익숙한 검은색 코트까지 단번에 알아봤다. 시간이 잘못 데리고 온 '과거의' 너 역시 단번에 알아보며 곧바로 발걸음을 멈췄는데, 그렇게 우리는 수많은 꽃 속에 서로의 색채만을 바라보기 시작했다.

운명이란 악보 속에서는 우연과 필연의 이중주만 흘러나온 채.

저 자 의 말

'읽을 때마다 새롭고, 독자마다 감상이 다를 수 있는데 쓰는 게 맞을까?'

저자의 말을 처음에는 쓸 생각이 전혀 없었다. 위의 생각도 한몫 했지만, 무엇보다도 스스로 다른 작품과 비교할 때 대단한 작품이 아니라고 생각했다. '감히 내가 써도 될까?'라고도 생각했지만, 저술하는 데 도움 줬던 모든 친구가 "남들이 하는 데는 이유가 있지 않을까?"라고 얘기하며 나의 용기를 북돋았다. 까닭에 간단히 소회 라도 밝히고자 저자의 말을 작성한다.

몇 년 전, 스물한 살의 여름이었다. 거듭된 계획의 실패로 여러 생각이 머리를 잠식했다. '이대로 가면 정말 죽겠다.'라는 생각조차 들며, 나는 앞을 나아가는 대신 잠시나마 뒤로 걸을 걸 결정했다.

'인생을 되돌아보면 생각의 해답을 찾을 수 있지 않을까?'라고 생각하며 내린 결정이었으나, 여러 생각은 항상 하나의 생각에 점철됐고 결국 정리까지 멈추게 했다.

이처럼 내가 생각을 시작하게 한 사람, 누군가를 떠올릴 때마다 처음으로 가슴이 두근거리고 시큰하게 만든 사람, 바로 첫사랑에게 생각이 매번 점철됐다. 잊지 못하는 걸 보면 '사랑'이 맞는 거 같으나 사랑하며 생긴 두근거림이 더는 없었다. 하지만 첫사랑에게 가지고 있는 내 감정이 도대체 무엇이길래 이토록 생각이 많아지게 된 건지는 알 수가 없어서 계속 첫사랑을 머릿속에 담아두게 됐다.

그렇게 한숨으로 하루를 끝내는 게 반복되는 어느 날이었다. 그날 또한 여느 날처럼 첫사랑에 관한 생각으로 머릿속이 복잡했다. 제아무리 생각해도 해답이 나오지 않자 결국 잠시 생각을 멈춘 채 외출했다. 숨을 고르기 위해서 잠시 나간 거였으나, 우연 또는 필연으로 그날 버스에서 해답을 찾게 됐다.

당시 내 앞자리에는 한 연인이 앉아 있었다. 서로 바라본 채로 계속 웃고 있었는데 문득, '무엇이 그들을 웃게 하는 걸까?'라는 생각이 들며 나와 첫사랑을 그들에게로 투영했다. 그리고 그 순간, 오랜만에 눈물 대신 웃음을 짓게 되자 내가 '과거의 사랑'을 하는 중인 거를 깨달았다. 다시 말해, 첫사랑에 관한 해답이 '그리움'인 걸 알게 되며 머릿속에서 '미련'을 떨친 채 첫사랑을 '추억'으로써 남기게 됐다.

그렇게 버스에서 내린 뒤 플랫폼에서 지하철을 기다리는데 문득, 저물어가는 태양을 보며 하나의 꿈이 떠올랐다. 내가 누군가에게 영향받은 거처럼 나 또한 누군가에게 영향을 주고 싶다는 꿈으로, 생애 처음으로 가진 실현하고 싶은 희망이었다. 물론, 남들이 귀담 아들을 만큼 스스로 대단한 사람은 아니지만, 남들과 같은 사람으로서 한 사람의 이야기가 도움 되기를 절실히 바라서 책을 쓰자는 결심을 했었다.

책은 이처럼 당찬 포부로 작성됐지만, 저자가 보기에도 많이 부족하게 느껴진다. 저자의 후회로부터 시작했고 만약으로 이어졌던 책인 만큼 누군가에게는 진부하다는 생각이 들 정도이다. 그러나 평범한 사람 중 한 명인 저자의 자화상인 만큼 적잖게 공감할 거라 믿는다. 특히, 책에서 사랑과 그리움, 추억과 미련 등의 상관관계를 밝힌 것은 사랑이라는 원초적인 감정에서 방황하는 사람들에게는 분명히 도움이 될 거다.

말이 길었다. 마지막으로 한없이 부족하지만 끝까지 저자의 첫 작품을 읽어준 독자들에게 진심으로 감사의 인사를 전한다. 책의 검수에 도움을 줬던 박준호, 안성찬, 채해온 군에게도 역시 감사의 인사를 전한다.

그리고, 저자의 첫사랑인 꽃집 아가씨에게 또한 진심으로 감사의 인사를 전한다. 삼인칭인 그녀가 더 가까운 이인칭인 너로서 내게 다가왔기에 작품이 탄생할 수 있었다. 이제는 꿈의 저편인 미래가 되지 못한 그 밤에서만 만날 수 있지만, 소중한 경험은 내게 아로 새겨져 잊지 못할 추억이 됐다. **네가 나에게 했던 거처럼, 앞으로는 내가 누군가에게 인생을 살아갈 용기를 불어넣겠다.**